Hanada新書 002

「いい人」の本性

飯山陽
Iiyama Akari

飛鳥新社

まえがき

「いい人」だと思われたい人は多い。なぜなら、そのほうが生きていくうえで都合がいいからだ。「いい人」だと評判になれば、交友関係も広まり、仕事も増える。うまいこと人生を送る秘訣は、「いい人」だと思われることだと言ってもいい。

それとは対照的に、私自身は他者から「いい人」だと思われたいと思ったことがない。私がひねくれ者の天邪鬼(あまのじゃく)だからだと言ってしまえばそれまでだが、実はそれだけが理由なわけでもない。

「いい人」だと評判の人の多くは、「いい人」だと思われるための発言や振る舞いをしているだけで、実際は「いい人」ではない、それどころか「いい人」のフリをして平気で悪いことをする偽善者が溢(あふ)れかえっていることに、割に人生の早い時期に気づいたからだ。

私は子供の頃から性格が悪い。実に意地悪なところがある。「いい人」の暗黒面を覗(のぞ)き見てほくそ笑むような人間だ。善の要素だけで出来上がっている人間など絶対にいないと信じている。

これはものの見方、事象の論じ方にも通じるところがある。一見、よさそうに見えるもの、事案、政策、決定でも、負の側面を考えることを決して忘れない。

「いい人」も「いいこと」も一旦は疑ってかかり、批判的に検証する。自分で言うもなんだが、これは決して悪いことではない。批判的検証を経て始めて、課題や問題が見えてくる。その過程を経ずして、現状の打開や問題解決はありえない。よりよい人間関係も、よりよい社会も、よりよい政治も、よりよい国家も、そうして築かれるものだと私は信じている。

だから社会には、私のように意地悪な人間も必要なのだ。

「いい人」のフリをしてとんでもない悪を為す者は、日本の政界、財界、学界、メディアだけでなく、世界中にいる。本書は彼らの偽善を暴き、白日のもとに晒す書である。

何より、「いい人」の本性をめくるのは爽快だ。本書をお読みいただければ、「あの人」や「あの組織」に対して抱いていたモヤモヤとした疑念がスッキリと晴れ、爽快感を得られるだろう。そしてみなさんが、本当に「いい人」や本当の善、正義について考える契機にもなるだろうと期待する。

なお矛盾するようだが、私は「いい人」だと思われようと思ったことはないものの、「いい人」であろうと努めて生きてきた。それは他者の目に見える必要もないし、現実社会の評判につながらなくてもいい。私が為したことは私が一番よく知っている。「いい人」のフリをした悪人の多い国より、「いい人」には見えなくとも人知れず善を為す人の多い国のほうがずっといいと私は思う。

日本を愛し、日本をもっと豊かに強く、いい国にしたいと希求(ききゅう)するすべての人に、この本を捧げる。

二〇二四年七月

飯山 陽

「いい人」の本性◉目次

まえがき　3

第一章　拝金主義者　15
善人のフリ／不安を煽り商売につなげる／偽善者に共通する特徴

第二章　中立を装う人　23
日本中に広まる「特殊な価値観」／「お前だって論法」／詭弁を弄し人の弱みにつけ込む

第三章　国際テロ事件の首謀者　31
「世の中をよりよく変えたい」／無差別殺人を正当化／出所を待ち侘びるメディア

第四章　容疑者は「かわいそうな弱者」　39
「社会の被害者」／犯罪の政治利用／テロリストに「優しい社会」

第五章　弱者ポジションのうばい合い（争奪戦）　47
いくつもの矛盾／「誰もが生きやすい社会」／新しい「階級制度」

第六章　ルッキズム（外見差別）　55
「美人だね」で社会的に抹殺／広瀬すずは美しい、しかし／朝日新聞もルッキズムを実践

第七章　国連人権理事会の現実　63
中国の重大な人権侵害を助長／中国やロシアから多額の献金／特別報告者の日本非難

第八章　目覚めた人　71
「差別につながる呼称」／不満や怒りの矛先は第三者にも／「自己検閲」の日本

第九章　対話絶対論者　79
朝日社説がひた隠す闇／「対話しろ」と言うべき相手／悪いのは「やられたほう」

第十章　スポーツ選手をプロパガンダに使う　87
日本代表を軽蔑する共産党議員／日本は「スポーツ選手を甘やかしている」／反米なら支持する

第十一章　犯罪を助長する「専門家」　95
山上容疑者の脳内を可視化？／計画的殺人を「世直し」と／「正しい人」の危険な行為

第十二章　上野千鶴子氏の裏切り　103
自ら「負け犬」を名乗るが……／非婚者の増加に「貢献」／「平等に貧しくなろう」と言いながら

第十三章　中東を「平和」にした中国　111
中国が誇示する「物語」／サウジとイランの思惑／中国が覇権を握る世界

第十四章　テロを利用する「一部極端な界隈」　119
タリバンやハマスに寄り添う／テロの首謀者に映画の宣伝を依頼／得意技は偽善と偽装か

第十五章　「性の多様性」なる奇妙な価値観　127
日本には一億二千万の性がある？／子供を混乱させる悪質な教科書／二十一世紀のリベラル諸国の奇習

第十六章　朝日の「イスラム推し」キャンペーン　135
世界の宗教二世問題／「ムスリム同胞団」の掲げるスローガンと同じ／ヘイトのレッテル貼り

第十七章　大衆を騙し、洗脳する　143
スターリンをひたすら絶賛／「最恐テロリスト」を偶像化／大学で教鞭をとる「活動家」
第十八章　外務省の宣言を真に受けてはならない　151
邦人保護より保身を優先／「中国の危険レベルはゼロだ」と言い張る／失敗に終わった退避作戦
第十九章　国際舞台で妄言を吐く岸田総理　159
満面の笑みでイラン大統領と握手／とんだ茶番／メローニ演説の危機感
第二十章　「全方位嫌われ外交」を展開する岸田政権　167
日本への敵意を生む場当たり的態度／G7で「日本排除」の動き／メディアが岸田外交を擁護する理由

第二十一章　日本を守る「正義のヒーロー」　175
「ファシズムと戦うため」／権威を笠にきて異論封殺／中東から非難の声が次々と

第二十二章　外務省補助金をもらう人　183
一日に四百二十三回のポスト／高齢者をバカ扱い／お仲間のための活動報告

第二十三章　「人道支援」の闇　191
支援金がテロ資金に／「専門家」の嘘、嘘、嘘／我々の税金が何に使われているのか

第二十四章　日本人の命が脅かされている現実　199
日本人が差別加害者にされている／社会変革を目指す運動／日本人に対しては無法状態

第二十五章　カネと欲にまみれている　207
口先だけの大見得男／「保守仕草」で悪あがき／誰かが立ち上がらなければ

第二十六章　私は絶望した　215
ＰＴＳＤに悩まされている／公開リンチ／日本を諦めてはならない

第一章　拝金主義者

善人のフリ

善人であることは難しい。しかし善人のフリをするのはさほど難しくない。

たとえば悩んでいる人、苦しんでいる人に対し、それほど悩まなくてもいい、そんなに苦しまなくてもいいのだと言ったり、悩み苦しむ人に寄り添うべきだと主張したりすれば、その場においてはとりあえず善人のフリをすることができるかもしれない。しかし、もしその人が、実はその悩みや苦しみを生み出す側に加担しているとしたらどうだろう。これは偽善者のひとつの典型だ。

例年二月一日は、首都圏の中学受験のピーク日である。二〇二二年の二月一日、朝日新聞は「子どもの人生、『塾歴』で決まる？少子化でも過熱する受験競争の実体」という記事を出した。冒頭には「少子化にもかかわらず、過熱気味の受験競争。その一端を担う進学塾は、子どもたちや親を『能力主義』へと追い立てる権化なのか」とあり、三人の識者に話を聞いている。

京都大学准教授の石岡学氏は、「大人も解けないような難問を、子どもが解けるようにすべく進学塾に通わせて、膨大な時間をかけさせる」という現在の中学入試過熱問題の元凶は「明治以降の教育制度」にあると批判しつつ、「『塾歴』に実体はない」「中学受験は、日本社会全体から見れば、特殊な一部の争い」「社会に出てから大卒者の格差はさほど大きくありません。十二歳の春の『勝ち負け』で決まる差は案外小さいということを忘れないでほしい」と、子に寄り添う姿勢を示した。

小説家の朝比奈あすか氏は、「親は、中学受験は『人生の通過点に過ぎない』と俯瞰し、どんな結果でも、子どもを信じて見守ってほしいと思います」と述べている。教育ジャーナリストのおおたとしまさ氏も、「偏差値が五や十違っても人生に影響はない、と我が子に言ってあげましょう。子どもの肩に乗りきらないものを無理に背負わせるのではなく、過剰な競争には付き合わないという防御役を担うべきです。子どもを守ってあげられるのは、保護者だけなのですから」と提言する。

両者とも、受験に臨む子を持つ親に対し、子の立場に立ち、子に寄り添うよう促している。私も子を持つ親として、これら三者の主張に異存はない。小学生の子に対し、あたかも中学受験が人生を決めるかのように思わせたり、失敗したら人生が終わるかのように言って過度に追い詰めたりすべきではないと考える。

ところが朝日新聞は、こうした記事を掲載する一方で、受験産業に深くコミットしている。

教師に命じられるがまま、とにかく黙々と天声人語を書き写すという経験をした人は、本書読者のなかにも少なくあるまい。朝日は、天声人語を書き写すと「言葉や漢字、時事問題の知識などが増え、文章力もつきます」と主張する。「天声人語書き写しノート」の販売は、シリーズ累計五百万冊を突破したそうだ。

ご丁寧にオンラインストアまであり、サイトにいけばさまざまな種類の「天声人語書き写しノート」が簡単に注文できる。価格は一冊二百四十二円から三百八十五円、鉛筆付きのセットまで売られている。

不安を煽り商売につなげる

中学受験に対しても朝日は実に熱心だ。朝日が発行している朝日小学生新聞は、「時事ニュースをわかりやすく解説することはもちろん、楽しい読み物や学習まんがなども満載です。まいにち活字にふれることは、学力アップにつながります。中学受験、高校・大学受験にも大いに役立ちます」と宣伝している。キャッチフレーズは「読む子は伸びる!」だ。こちらは月ぎめ二千百円である。

朝日小学生新聞には「天声こども語」なる天声人語の子供版コラムが掲載されており、筆者である朝日新聞社の一色（いっしき）清氏は「天声こども語は、まねられるだけのいい文章でなければなりません。筆者の責任は重大です」「向学心のある小学校高学年くらいの読者にとっては、きっといい文章だと自負しています。まねていただけると、とても光栄です」と述べている。一色氏は朝日の「教育コーディネーター」だそうだが、なかなかの自信である。もちろん、こちらの書き写し「学習」も推奨されており、「天声こども語学習ノート」は一冊三百八十五円で絶賛販売中だ。この利用には、小学生新聞の購読が必要だと注記されている。

　これだけでは済まない。

　朝日は、二〇一〇年には「今解き教室」なる「朝日新聞で学ぶ総合教材」を創刊、「中学受験、公立中高一貫校、高校入試対策に！」「二〇二一年度中学入試は十二校二十二記事が朝日新聞から出題」などと堂々と宣伝している。朝日曰（いわ）く、「今解き教室の読解力・思考力・記述力は一生もの」らしい。ちなみに、こちらは二〇二四年度十二カ月コース（発展）、冊子・電子ドリル・添削つきで、お値段なんと五万四千百二十円である。

　これだけ書けば明白であろう。朝日新聞は、中学受験産業に深くコミットしている中学受験の受益者なのである。世の中の中学受験熱がヒートアップし、多くの家庭が中学受験にのめり込めばのめり込むほど、朝日新聞は多くの利益を得るチャンスに恵まれるのだ。

受験問題に朝日の記事がこんなに多く使われた！　と宣伝し、朝日の記事を読み、書き写し、朝日の教材を使うことが中学受験の合格への王道だ！　と煽れば、一定数の顧客は見込めるであろう。まるで、朝日を読まないと不利になる、朝日の教材を使わなければ中学受験合格は遠のくかのような広告を打つことで、中学受験を控えた子を持つ親の不安を煽り、商売につなげることもできる。

偽善者に共通する特徴

朝日新聞本紙も、受験戦争を煽るかのような記事が満載だ。

その典型例は、クイズ番組「東大王」での活躍で知られる鈴木光氏、紀野紗良氏、林輝幸氏、伊沢拓司氏といった「東大生タレント」をさかんにとりあげて、もてはやしていることに見られる。二〇二一年十月三日には、「東大生タレント、なぜ人気　クイズ番組・ユーチューブ・書籍も」という記事を掲載し、彼らは「憧れの対象になった」のであり、若者から「尊敬のまなざし」を集めていると紹介した。

東大生は日本の受験戦争の勝ち組の典型だ。彼らはそれに加え、タレントという煌びやかさも併せ持つ。

見ろ、彼らこそが受験戦争の勝者だ、彼らのようになりたかったら朝日を読め、天声人語を書き写せ、そして朝日の教材を買って勉強するのだ！　と主張するならば、一貫していて爽やかですらある。受験産業は決して悪ではないし、商売をすることも、カネを稼ぐことも悪ではない。

しかし朝日は、東大生タレントに対する憧れを煽り、受験教材を売って稼ぐ一方で、親は受験に熱を上げて子を苦しめるな、子に寄り添えと主張する。冒頭に挙げたように、朝日は「子どもたちや親を『能力主義』へと追い立てる権化」として、「過熱気味の受験競争」の「一端を担う進学塾」を槍玉に上げる。しかし、朝日もまた明らかにその一端を担っているにもかかわらず、そうした自省は朝日の記事内には見つからない。

自己矛盾。これは偽善者に共通する特徴だ。

朝日が子を苦しめるなという意見を掲載するのはエクスキューズであり、アリバイ工作のためである。これによって、朝日は自らが受験戦争の過熱を煽っている張本人であり、かつそこから利益を得ている受益者であるという事実から、人々の目を逸らせることができると考えているのだろう。そして何より、これにより朝日は受験に苦しむ親子に寄り添う善人のフリをすることができる。これは朝日の常套手段だ。
二〇二一年夏に開催された東京五輪に対しては社説で首相に中止しろ！　と迫った朝日は、二〇二二年冬に開催された北京五輪に対してはダンマリを決め込み、開催直前の一月三十一日になって急に「迫る北京冬季五輪　懸念と不信の解消遠いまま」という社説を掲載した。北京五輪が中止になるわけがないタイミングを見計らって、一応「懸念」だけは表明しておきました、というアリバイ工作そのものだ。善人のフリをし続けるための卑劣な作戦である。

　ここでももちろん、朝日は習近平国家主席に北京五輪を中止しろ！　と迫ったりはしていない。「新疆での重大な人権侵害」に言及しつつ、「ウイグル人」という言葉も一切用いていない。朝日が非難の矛先を向けるのは、中国共産党や習近平ではなく、ＩＯＣと五輪の「商業・拝金主義」だ。論点のすり替えである。

　朝日は東京五輪を中止しろと主張しつつ、東京五輪のスポンサーを続けた。北京五輪に懸念を表明しつつ、北京に記者を派遣し北京五輪の報道を続けた。

　朝日は単なる偽善者ではない。朝日が批判する拝金主義者そのものだ。

第二章　中立を装う人

日本中に広まる「特殊な価値観」

二〇二二年二月末にロシアがウクライナに軍事侵攻して以来、「中立を装う偽善者」が続々と出現している。

最初に述べておくが、中立というのは、それ自体が「いいこと」であるわけではない。中立とは、どちらの側にもつかず距離を置く立場を意味するに過ぎず、それがすなわち「いいこと」だという理解は過ちである。犯罪の加害者と被害者を前に、私は中立なのでどちらの側にもつかないと胸を張る者を「いい人」と評価できるかどうか、考えてみればいい。

一方で、何を善とし何を悪とするかを決める世界共通の基準は存在しない。世界には普遍的善や悪があると主張する学者が存在するが、私はそれには与しない。なぜなら私の研究対象であるイスラム教は神が善としたものを善とし、悪としたものを悪とするという価値を絶対としており、それは多くの場合、近代の合理主義とは相容れないことを知っているからである。

世界には様々な価値観があり、人の数だけ正義がある。中立な立場に立てば、どんな問題も「どっちもどっち」という結論に至る。

問題は、中立を装う人こそがいい人で、どっちもどっち論こそが正論だとされてしまいがちな傾向だ。

中立と聞くと、脊髄反射的に「いいこと」だと判断する日本人は少なくない。その一因は、日本の教育において「中立とは何か」「いいこととは何か」について考える哲学的思考が欠落していることにあろう。学校で「中立はいいこと」と教えられたから、そのまま信じているというわけだ。

この日本中に広まる「中立はいいこと」という「特殊な価値観」をうまく利用している人たちがいる。その典型例が、いままさにウクライナ危機において中立を装っている人たちだ。

映画監督の河瀬直美氏はその代表例である。同氏は二〇二二年四月十二日に行われた東京大学の入学式で、次のような祝辞を述べた。

〈例えば「ロシア」という国を悪者にすることは簡単である。けれどもその国の正義がウクライナの正義とぶつかり合っているのだとしたら、それを止めるにはどうすればいいのか。なぜこのようなことが起こってしまっているのか。一方的な側からの意見に左右されてものの本質を見誤ってはいないだろうか？　誤解を恐れずに言うと「悪」を存在させる

ことで、私は安心していないだろうか？〉

ウクライナ危機の「本質」はロシアの正義とウクライナの正義のぶつかり合いだ、という河瀬氏の主張は、どっちもどっち論の典型である。彼女は中立を装い、道徳的高みに立つ。東大生たるもの、ロシアを悪と決めつけて安心するような愚行に走ってはならない、悪のなかにこそ正義を見出すべきであり、中立的立場を取ってこそのエリートだ、と彼女は壇上から東大の新入生に向けて訓示する。

正義も善悪も相対化するこの主張は、ロシアに向けられるべき批判をうやむやにし、結果的にロシアを利する。

だからこそ、ロシアによるウクライナ侵攻という現実を正義や善悪という倫理の問題にすり替えてはならないのだ。これによって得をするのはもっぱらロシアである。逆に言えば、これを倫理の問題にすり替える人間は、意図しようとしまいとロシアの利益に貢献し、それによってウクライナを窮地に追い詰める手助けをしていることになる。

「お前だって論法」

では、なぜロシアが得をするような論点のすり替えをしてはならないのか。

それは、ロシアが国際法に違反しているという現実を糊塗する役割を果たすからである。ロシアは世界秩序の維持に努めるべき国連安保理常任理事国でありながら、国際法を犯し主権国家に軍事侵攻した。批判されるべきはロシアのこのルール違反であり、ロシアの正義ではない。ロシアがどんな正義を掲げようとロシアの自由である。ただしそれは、国際法を遵守する限りにおいてである。

国際法遵守というのが現行の世界のルールである。このルールに違反したロシアを放置することは、武力増強によってではなく国際法遵守によって安全を保持している日本にとって致命的な不利益となる。武力を持つ強者は己の正義のために他者を蹂躙してもいいということになれば、日本はたちまち主権国家としての存立を脅かされ、そして失うだろう。

ウクライナ危機を倫理の問題にすり替えることは、要するに日本国の安全保障に甚大な影響を及ぼすことになるのだ。この論者は善人を装い、亡国の工作をしているに等しい。

河瀬氏は次のように続ける。

〈人間は弱い生き物です。だからこそ、つながりあって、とある国家に属してその中で生かされているともいえます。そうして自分たちの国がどこかの国を侵攻する可能性があるということを自覚しておく必要があるのです。そうすることで、自らの中に自制心を持っ

て、それを拒否することを選択したいと想います〉

これは、いわゆる「お前だって論法」である。お前（日本）だってかつて他国に侵攻したじゃないか、そんなお前にロシアを非難する資格などないと暗示することにより、ロシア非難を封じ込める効果を発するというわけだ。

しかし、これは詭弁にすぎない。日本の過去がどうであれ、それはロシアがウクライナに侵攻し、領土を奪い、民間人を虐殺したり、レイプしたり、強制移住させたりしているという事実を何ひとつ変えることはない。「日本だってかつて」云々を理由に我々が口を噤めば、得をするのはロシアである。

お前だって論法は、独裁者や過激派の蛮行を擁護し批判を封じ込めようとする中東イスラム研究者の常套手段でもある。多くのテレビ出演で知られる放送大学名誉教授の高橋和夫氏は二〇二一年九月、「日本にだって金メダルをとった女子ボクシング選手へ侮辱とも取れる発言をしたコメンテーターを重用している番組がある」からタリバンの女性差別を批判する資格はない、と主張した。

この高橋和夫氏が「世界的イスラム法学者」と絶賛する中田考氏も『タリバン　復権の真実』（ベスト新書、二〇二一年）で、「名古屋出入国管理局でスリランカ女性の留学生が暴行を受けて死亡した事件が問題になっている最中に、牛久入管でもまた警備員による暴行が報じられている。『外国人』だというだけで移動の自由を制限、拘留し、暴行を繰り返す日本政府が、タリバンに『人権』を説く資格があるのか」と、批判の矛先を日本に向けた。

詭弁を弄し人の弱みにつけ込む

彼らがイスラム過激派組織タリバンを擁護するのは、タリバンが反米、反近代だからである。彼らは反米でポストモダン的な「理想像」をイスラム過激派に投影し、それを擁護することで研究業界やメディアにおける地位を盤石にしている。イスラム過激派擁護論者は、概ねロシア擁護論者と重なる。彼らはいまだに反米こそインテリの証と信じ込み、それを実践しているのだ。

千葉大学教授の酒井啓子氏は二〇二一年九月に日経新聞で、アルカイダや「イスラム国」は欧米によって「排除されたムスリムのよりどころ」なのだと擁護した。そして二〇二二年四月十四日の毎日新聞では、米国のアフガン侵攻とロシアのウクライナ侵攻には「大国が他国に軍事介入し現状変更を試みたという共通点」があるのに、国際社会が前者を善とし後者を悪と決めつけているのは二重基準だと批判し、「ロシアにとっては、帝国期からソ連時代に至るロシア文明圏の維持が、あるべき『現状』なのだと擁護し、「私たち」即ち日本人に「反省」しろと促した。

しかし、アフガン侵攻当時の第一次タリバン政権は国際的に承認されておらず、米国はロシアのように領土拡張を目指したわけでもない。タリバンがアルカイダを匿ったように、ウクライナがロシアで大規模テロを実行し、数千人のロシア人を殺したテロリストを匿ったという事実もない。そこには大きな差異がある。酒井氏の主張は明らかに詭弁だ。

さらに酒井氏が、ウクライナに侵攻したロシアのことは批判せず、米国が悪い、日本は反省しろと反米、反日へと論点をすり替えているのもなんとも卑劣だ。

中立を装う彼らは善人などではない。巧みに詭弁を弄し人の弱みにつけ込むことで、ロシアが侵略戦争を行っているという事実を曖昧にし、ロシアを利する彼らは、日本侵略を狙う隣国をも利する亡国の偽善者なのである。

第三章　国際テロ事件の首謀者

「世の中をよりよく変えたい」

いまの世の中は間違っている、あまりにも問題が多い、苦しんでいる弱者を放ってはおけない、そんな世の中をよりよく変えたい——。

立派な心がけだ。善人そのものである。

しかしこのように主張する者が、実際には多くの人を殺傷し、苦しめ、社会に憎悪を蔓延(はびこ)らせ多大な損害を与えていたら、それは偽善と断罪されるべきであろう。

国際テロ組織「日本赤軍」の創設者にして、数々の国際テロ事件の首謀者とされる重信(しげのぶ)房子(ふさこ)氏が二〇二二年五月二十八日、二十年の刑期を終えて出所した。出所に際して彼女が発表した「再出発にあたって」という文章にはこうある。

「僭越(せんえつ)な言い方かもしれませんが、過ちはありつつも、子供時代から願っていた世の中をよりよく変えたいという願い通りに生きてこれたことを、私自身ありがたいことと思っております」

なるほど、重信氏は、子供の頃から「世の中をよりよく変えたい」と願い、そのとおりに生きてきたと自負しているのだ。ということは、重信氏には「世の中をよりよく変えた」実績があることになる。

ところが不思議なことに、「再出発にあたって」には彼女の実績は書かれていない。並んでいるのは自己弁護の言ばかりだ。

重信氏は、「ベトナム反戦・連帯の斗い」「大学の学費値上げ反対斗争」に参加するも、「いきづまり」を感じ、「武装斗争」に活路を求めたという。しかし「弾圧の中で、うまく斗うことが出来ませんでした」と言い訳する。

反戦運動に行き詰まったから武装闘争するというのも支離滅裂であるなら、弾圧されたから武装闘争に失敗したというのも責任転嫁甚だしい。「うまく斗うことが出来ませんでした」と曰うが、では「うまく斗うことが出来た」なら共産主義革命が実現され、「世の中をよりよく変えた」はずだとでも言うのか。

なお「斗い」とは闘い、「斗争」とは闘争の意であり、「斗」は学生運動や労組の立て看板などでよく用いられたいわゆる「ゲバ字」の一つである。彼女の思想、生き方のルーツがいまもそこにあることを、こうしたゲバ字の使用から如実に窺い知ることができる。

言い訳はこう続く。

「もっとよく斗うために、世界の抑圧された人々と連帯し、世界も日本も、より良く変えたいと、更に武装斗争路線を堅持して、パレスチナ解放斗争にボランティアとして参加しました」

世界をよりよく変えるためだったとパレスチナ解放闘争への参加を正当化するが、問題はその先だ。そのために実際、何をやったのか。彼女はそれについては「パレスチナ解放斗争の人々、又、パレスチナ戦場に連帯する各国の革命を求める人々と出会い、学びながら、いろいろなことに気付かされながら生きて来ました」とお茶を濁す。

無差別殺人を正当化

彼女がやったのは決してそれだけではない。ゲリラ組織「パレスチナ解放人民戦線」（PFLP）と「共闘」し、彼女の仲間である日本人三人が一九七二年、イスラエル・テルアビブの空港で自動小銃を乱射し二十六人を殺した。

彼らが殺したうちの十七人はプエルトリコ人であり、一人はカナダ人だった。非武装のプエルトリコ人とカナダ人を殺すことが、どうパレスチナ解放につながるのか。

PFLPの幹部であり、いまもテルアビブ事件の実行犯の一人である岡本公三を匿（かくま）っている人物は二〇二二年五月、朝日新聞の取材に対し、「あの事件で亡くなったプエルトリコ人も、イスラエルを訪問した時点で、我々が決して認めないイスラエルによるパレスチナの占領政策を認めていることになる。彼らにも責任の一端はある」と殺害を正当化した。なるほど、イスラエルを訪問する外国人は全員殺害対象となるらしい。彼らは、人を殺せば殺すほど世界をよりよく変えられるという超特殊イデオロギーに支配されているようだ。彼は岡本を「チェ・ゲバラのように尊敬」しているとも述べている。

日本赤軍は一九七三年にはドバイ事件、七四年一月にはシンガポールの製油所を爆破するなどしたシンガポール事件、同九月にはオランダ・ハーグのフランス大使館を占拠してフランス大使らを人質にとったハーグ事件、七五年にはクアラルンプール事件、七七年にはダッカ事件、八六年にはジャカルタ事件、八七年にはローマ事件、八八年にはイタリア・ナポリ市内で米軍人一人を含む五人を殺害したナポリ事件など、国際テロ事件を次々と起こした。

彼らは目的達成のために常に暴力を用いる。要求するのは身代金や仲間の釈放だ。いったいこれによってどうパレスチナが解放され、「世の中をよりよく変えた」ことになるのか。

日本赤軍は無辜（むこ）の民を無差別に惨殺し、恐怖に陥（おとし）いれた。彼らは、そんなところで断たれることはなかったはずの人々の命を奪い、彼らの家族から彼らを永遠に奪い去った。各国政府を脅し、身勝手な目的を実現させた。これが日本赤軍の「やったこと」である。

重信氏自身はこれについて、次のように「謝罪」している。

「すでに半世紀にもなろうとする過去のこととは言え、私や、日本赤軍の斗いの中で政治・軍事的に直接関係の無い方々に、心ならずも被害や御迷惑をおかけしたこと、すでに述べて来ましたが、ここに改めて謝罪します」

重信氏にとって、日本赤軍の蛮行の全ては「過去」にすぎない。「謝罪します」と言いつつ「心ならずも」と付け加えることにより、あくまでも過失なのだと強調する。

結論は明白である。重信房子氏も日本赤軍も、一度たりとも「世の中をよりよく変えた」ことなどなかった。彼女たちが実際にやったのは単なるテロだ。独善的で稚拙な革命ごっこで多くの犠牲者を出したにもかかわらず、重信氏がいまも自分は正しかったと胸を張って主張するのは、彼女を革命の女神であるが如く崇め奉り、“WE ♥FUSAKO”の横断幕で出所する彼女を迎えた「お仲間」たちの存在ゆえであろう。

警察庁の中村格長官は六月二日、「（日本赤軍の）解散は形だけのものに過ぎず、テロ組織としての危険性がなくなったとみることは到底できない」と述べた。

出所を待ち侘びるメディア

一九九三年に出版された日本赤軍著『日本赤軍20年の軌跡』では、「アメリカ帝国主義と日本独占資本の支配に反対する全ての人々」による「人民革命」論が唱えられ、自衛隊海外派兵、日米安保、天皇制に反対し闘争する旨(むね)が論じられている。大手メディアが彼女の出所を待ち侘(わ)びていたのは、ある意味当然だ。

共同通信は出所に際し、彼女を「日本赤軍の『魔女』」と描写して憧憬(しょうけい)を滲(にじ)ませ、「若者たちよ、さあどうする」と、あたかも重信氏をロールモデルにすべきだとけしかけるような記事を出した。

ＴＢＳの「看板キャスター」金平茂紀(かねひらしげのり)氏は出所した重信氏に対し、「二十年経って、外に出てきていま、一番感じていることは何ですか？」と質問し、氏は「あまりにも昔と違って一つの方向に流れているのではないか。国民がそうではなくても、政治家が一方向に流れているというのが実感」と早速政治批判を展開、ＴＢＳはそれを放送した。彼女には、彼女を待ち侘びる「ファン」もいるし、「居場所」もあるのだ。

テルアビブ事件から五十年が経過したいまも、パレスチナは解放などされていない。理由は明白である。パレスチナを支配するパレスチナ自治政府もイスラム過激派組織ハマスも、重信氏同様「闘争」に固執しているからだ。

　パレスチナには日本を含め世界中から毎年多額の支援金がつぎ込まれている。しかし、それらは「闘争」とパレスチナ当局の腐敗、汚職の闇に消えてなくなる。だからパレスチナは全く経済発展せず、人々は失業と貧困に苦しむ生活から抜け出せない。一部の人は「闘争」だと言ってイスラエル人を殺傷する。パレスチナ自治政府はそうした人を英雄と称え、その家族に年金を支払う制度を維持している。パレスチナでは国連の運営する学校も、占領者イスラエルこそが諸悪の根源であり殲滅すべし、と子供たちに憎悪を教え込む。だから子供たちは平然とイスラエル人への殺意を口にする。

　重信氏の甘言に騙されてはならない。彼女や日本赤軍は、その主張をもってではなく、行動によって評価されるべきだ。パレスチナ人がいまも貧困に喘ぎ、日本で左翼運動が廃れた現実が、彼女の過ちと失敗の決定的な証拠である。

第四章　容疑者は「かわいそうな弱者」

「社会の被害者」

一般に、弱者に寄り添うことは善いことだとされる。特に社会の成員でありながら、様々な理由で他の大多数の人々よりも著しく不利な立場に置かれている社会的弱者に配慮し、彼らを支援することは政治的に正しいとされる。

しかしこれは、いかなる状況においても妥当するわけではない。

二〇二二年七月八日、安倍晋三元総理が公衆の面前で銃により暗殺される事件が発生した。容疑者として現行犯逮捕されたのは山上徹也という四十一歳（当時）の男だ。山上容疑者は容疑を認めている。故意に人命を奪う行為は、殺人という犯罪だ。

ところが朝日新聞はその凶行のショックも冷めやらぬ翌九日、早朝六時の段階で「森友・加計、桜…『負の遺産』真相不明のまま　安倍元首相が死亡」という記事を配信、安倍氏は腐敗と疑惑に塗れた悪の権力者だという朝日の主張を覆されてたまるものかという「意志表示」をし、続けて同日二十一時八分には「父は急死、母は宗教団体へ多額の金　安倍氏銃撃容疑者の生い立ち」という記事を配信した。

朝日が取材した山上容疑者の親族は、彼の母親が宗教団体の活動に入れ込み多額の金を納めるようになった背景を、「夫に先立たれ将来に不安を抱えていたのでは」と慮る。

当該親族は山上容疑者について、進学校で学んだにもかかわらず海上自衛隊に入隊したのは「生活に困っていたからでは」と述べ、山上容疑者が「恨む気持ちがあった」と供述している宗教団体についても「ずっと恨みに思っていたはずだ。人生を変えられたと感じていると思う」と推察した、と記事にはある。

この記事は決して山上容疑者の「生い立ち」を客観的に叙述したものではない。彼は「かわいそうな弱者」なのだと情に訴える趣旨である。彼のことを昔から知る親族がこれほど同情しているのだ、実際彼は社会的弱者ではないか、我々は彼に寄り添うべきだ――。少なくとも私は、当該記事の趣旨をこのように理解した。

社会を震撼させる凶悪犯罪やテロ事件が発生した直後に、容疑者の「かわいそうな生い立ち」を強調して一般読者の同情を誘うのは、世界中のいわゆる「リベラル」なメディアや「知識人」の常套手段だ。

これは典型的な論点ずらしである。本来ならば犯罪やテロの被害者こそが最も同情され、加害者こそが非難されねばならないところを、いや、実は加害者こそが被害者なのだと話をすり替える。何の被害者かというと、社会の被害者だというのだ。

真面目な普通の青年だったはずの彼をこのような凶行へと走らせたのは、貧困や差別や偏見である、要するに社会が悪い、というのがこの詭弁（きべん）の趣旨だ。さらにこの詭弁は、だからこの社会を変革していかなければならない、無知蒙昧（むちもうまい）な大衆を正しい進歩へと導くことこそが我々メディアや「知識人」の責務である、というところに行き着く。

犯罪の政治利用

当該記事のウェブ版には、日本大学文理学部教授・末冨芳（すえとみかおり）氏が次のようにコメントしている。

〈子育てに親の責任が強い社会では、親子分離を支える仕組みも希薄で、親の苦しみから逃れられずずっと苦しむ人々もいます。「ずっと恨みに思っていたはずだ。人生を変えられたと感じていると思う」親戚の男性の言葉が重く響きます。もし若い時に相談できて親子が分離できていたら、行きたい学校に行き進路を支える公助がもっと充実していれば、親がいなくても相談に乗れる大人が身近に寄り添う体制があれば。そのような社会に日本を進化させようとしてきた研究者としてもつらく苦しい思いでいます〉

なるほど、彼女の主張どおりに日本社会が「進化」していれば、山上容疑者はこのような凶行には及ばなかったはずだというわけだ。

これはとんだ思い上がりである。そんなことは誰にもわからない。いかに「進化」した社会でも凶悪犯罪は起こりうる。「私の言うとおりにしていればこんなことは起こらなかったはずだ」という主張は、根拠の欠如した妄想であるだけでなく、再発を防ぎたいならば私の言うとおりにしろという一種脅迫の色彩すら帯びている。

末冨教授は凶弾に斃れた犠牲者である安倍氏には一瞥もくれず、加害者である山上容疑者に同情を示しつつ、自らの信条の正しさを書き連ねる。これは犯罪の政治利用と呼ぶに相応しい。

こうした例は枚挙に遑がない。

朝日新聞は二〇二二年六月十二日の記事で、二〇〇一年六月に宅間守元死刑囚（〇四年に死刑執行）が大阪の池田小学校で児童八人を殺害した事件や、二〇一九年七月に男が「京都アニメーション」に放火して七十人を死傷させた事件、二〇二一年十二月に男が大阪・北新地のクリニックに放火して二十六人を殺害した事件などを挙げ、無差別殺傷事件があとを絶たない背景には「閉塞感を感じる世の中」があり、「社会全体に閉塞感があって、『何をやっても同じ』という無力感に駆られやすい」という東洋大学教授・桐生正幸氏の見解を掲載した。

同教授は、ＳＮＳなどでコミュニケーションが取れずに居場所を失い、認められたいと「爪痕を残す」手段として凶悪犯罪を起こそうと考える若者もいる、こうした事件は「人災」と捉えられるべきだと主張する。

二〇一六年七月に神奈川県の障害者施設「津久井やまゆり園」で四十五人を殺傷した植松聖死刑囚についても朝日は二〇二一年三月、「植松死刑囚の『意味のないいのち』『役に立たない人は死ね』という言葉は、時代の言葉だ」というＮＰＯ法人「抱樸」の奥田知志理事長の発言を掲載した。

「日本では命より学校や仕事が大切だという誤った価値観が形成されてしまっている」と主張する奥田氏が引用するのは、福田赳夫元首相の「ひとのいのちは地球より重い」という言葉だ。一九七七年の同発言は、日本という国家が日本赤軍というテロリストの脅しに屈し、その要求を丸呑みした悪しき先例の象徴だが、日本の「リベラル」はなぜかこれを賛美する。なおこの奥田氏というのは、学生団体ＳＥＡＬＤｓの創設メンバーの一人である奥田愛基氏の父親だ。

悪いのは加害者ではなく「世の中」であり「社会」であり「時代」なのだと責任転嫁する彼

らは、弱者に寄り添うフリをしつつ、実は弱者を利用して自分たちの政治イデオロギーを喧伝（けんでん）しているに過ぎない。彼らはいまの日本社会を代表する偽善者だ。

こうした偽善者は弱者を擁護していて、実はこのような弱者はいつ何時そのような凶悪犯罪に走っても不思議はない人々なのだと差別的なレッテル貼りをしているという問題もある。

テロリストに「優しい社会」

宇佐美典也（うさみのりや）氏という制度アナリストにして、ABEMA Prime というネットテレビのコメンテーターだという人物は二〇二二年七月十日、次のようにツイート（現ポスト）した。

〈山上徹也氏、氷河期世代、カルト宗教で家族崩壊、派遣切りと日本社会の深淵（しんえん）で辛酸（しんさん）を舐（な）めさせられ続けてきた人なんだな〉

当該ツイートは氷河期世代のあらゆる人々、カルト宗教のあらゆる被害者、破綻（はたん）家族のあらゆる成員、派遣切りにあったあらゆる労働者に「日本社会の犠牲者」というレッテルを貼り、彼らを上から見下しているに等しい。このような人々は凶行に走っても全く不思議ではないという奇妙な感傷や物分かりのよさは、彼らは危険であり閉じ込めておくべきだという思想に転じる危うさを秘めている。

社会には苦しんでいる人、困っている人、悩んでいる人が無数にいる。いや、社会には何の苦しみもなく、全く困らず、何ひとつ悩みなどない、などという人はほとんど存在しないだろう。しかし圧倒的大多数の人々は他者を殺傷したりしない。一人ひとりが人知れず困難に立ち向かい、時には支え合いつつ、歯を食いしばって生きているのだ。

殺人者やテロリストを弱者に仕立て、同情を呼び込み、悪いのは社会だ、時代だと論点をすり替え、世論操作をしようとする偽善者に騙されてはならない。

こうした詭弁に対しては、我々庶民はみな困難を生きている、殺人者やテロリストと一緒にするなと言ってやらねばならない。

殺人者やテロリストを擁護するメディアや「知識人」は、殺人やテロを「やりやすい社会」、殺人者やテロリストに「優しい社会」を目指している趣（おもむき）すらある。そんなものを許していいはずがない。

第五章　弱者ポジションのうばい合い（争奪戦）

いくつもの矛盾

「同性婚を認めないのは合憲」

二〇二二年六月二十日、大阪地方裁判所はこのような判決を下した。原告の同性カップル三組は、同性婚を認めない法規定は違憲だとして国に計六百万円の賠償を求めていたが、この訴えは棄却された。

判決は、「本件規定で生ずる差異は憲法二十四条一項の秩序に沿ったもので、十四条一項の許容範囲を超えていない」としている。

憲法二十四条一項には「婚姻は、両性の合意のみに基いて成立」とあり、十四条一項には「すべて国民は、法の下(もと)に平等であつて、人種、信条、性別、社会的身分又は門地(もんち)により、政治的、経済的又は社会的関係において、差別されない」とある。

判決の趣旨は要するに、同性婚と異性婚の間に生じるのは「差異」であって「差別」ではない、というものだ。

しかし原告は判決後も、これは同性愛者に対する差別だと主張し続け、朝日新聞はその声を大々的に取り上げていくつもの記事を掲載した。

「『同性愛者は差別してもいいということか』　全国から憤（いきどお）りの声」「『婚姻類似の制度』では差別と同じ…　同性婚訴訟判決に原告が怒り」（二〇二二年六月二十日）　といった記事タイトルからも、朝日が「同性婚を認めないことは差別」という原告側の考えを支持しているのは明白だ。

日本弁護士連合会も二〇一九年七月、同性婚を認めないのは「重大な人権侵害」だとする声明を出している。日本にはたしかに、同性婚推進論者の一団がある。

しかしこうした同性婚推進論者の主張には、いくつもの矛盾がある。

第一に、「同性婚を認めないのは合憲」という判決を受けたならば、同性婚を認めるべく改憲すべきだと主張するのが順当であろうが、彼らは決して改憲を主張しない。なぜなら朝日や日弁連の例から明らかなように、彼らはいわゆる護憲派だからだ。彼らにとっては「憲法無罪」が絶対だ。憲法は死守すべき存在だと決まっているので、悪いのは憲法ではなく間違った判決を下した司法だ、ということになる。

大阪地裁の当該判決について、朝日新聞のサイトではコラムニストの吉川ばんび氏が「同性婚が認められず、当事者たちが実際に抱えている苦痛や『問題』を軽視するような暴力的な内容に怒りを感じずにはいられません」（同）　と批判した。彼らにとって、意に沿わない判決を下す司法は「暴力」を振るう悪しき権力なのだ。

元衆院議員の菅野志桜里氏も朝日新聞のサイトで、「同性婚を認めない現行法制を『合憲』とした大阪地裁の判決は、大事な出番をまさに棒に振った判決と言うべき」と批判し、「裁判官には『出る杭』となって、少数者の尊厳を守るために消極司法を突き破ってほしい」と要請した。曰く、裁判官は「どんな判決を書いても給料がカットされず、行政から処分を受けることもないという権利が保障されている」（同）からだと言う。意味がわからない。

「誰もが生きやすい社会」

第二に彼らは、同性婚に関しては「同性婚を異性婚と同じく扱え！」と「みんな同じ」を要求しつつ、夫婦別姓に関しては「夫婦同姓を強制するな！」と「みんな同じ」であることが差別で人権侵害だと主張する。彼らは時と場合に応じて「みんな同じ」を要求したり、批判したりと使い分ける。一貫しているのは、既存制度の変更を要求している点だ。

彼らは常に既存制度のどこかに差別や人権侵害を見つけ出し、それを理由に制度の変更を迫る。既存制度と、それに立脚した既存社会を徹底的に破壊するまで、それが止むことはおそらくない。

選択的夫婦別姓推進論者であるサイボウズ代表取締役社長の青野慶久（よしひさ）氏は二〇二〇年十二月、「我々日本人は、選択的夫婦別姓を実現できたとしても、将来的に戸籍をどうするのか、そもそも婚姻をどうするのかについても議論し、進歩させていかなければならない」とツイートしている。

彼が選択的夫婦別姓の制度化の先に、戸籍制度や婚姻制度の破壊を画策しているのは明白だ。しかもやっかいなことに、彼はそれこそがあるべき「進歩」の姿だと思い込んでいる。

第三に彼らは、同性婚や夫婦別姓を認めることは、選択肢を増やし、「誰もが生きやすい社会」にするためであり、誰も損はしない、メリットしかないと主張する。しかし、社会の安定は制度の安定に由来するところが大きい。いまある制度に大きな変更を加えた場合には何らかの問題が発生すると措定（そてい）するのが妥当であり、問題など発生するわけがないという断定にはウソがある。

ありとあらゆる種類の「認められないのは差別だ」「権利をよこせ」という要求に応じて制度を変え続けることが、「誰もが生きやすい社会」にするために必要だということになれば、一夫多妻も、一妻多夫も、近親婚も、幼児婚も、人間以外の生物や物体との結婚も「切実に要求」する人が必ず現れる。あらゆる形態の婚姻を合法化したあとに、「そもそも婚姻制度自体が婚姻したくない人間にとっては差別だ！」と主張する人が現れ、婚姻制度を廃止するところまで行くだろう。

マルクスの盟友エンゲルスは『家族・私有財産及び国家の起源』において、一夫一婦制によって「女子は貶下（へんげ）され、隷属（れいぞく）させられて、男子の情欲を満足する女奴隷及び子供を生産する単なる道具となった」と批判し、一夫一婦制の廃止こそが女性解放への一里塚だと述べた。目指すのは財産だけでなく、女も、男も、子供も、全てを「共有」する共産主義社会だ。

エンゲルスはL・H・モーガン（アメリカの文化人類学者）の想定した原始乱婚状態、つまり「一種族の内部で無拘束な性交が行われ、したがってあらゆる女子はあらゆる男子に、あらゆる男子はあらゆる女子に平等に属していた」時代について、憧憬（しょうけい）をもって論じている。そこに彼の理想があるようだ。しかし原始乱婚はあくまでも想定であり、史実だと実証されてはいない。

新しい「階級制度」

選択肢を増やすだけで誰も損はしない、「誰もが生きやすい社会」になる、デメリットなどないと聞けば、「心優しい善良な一般人」は、それなら同性婚も夫婦別姓も認めたほうがいいと思うだろう。しかし忘れてはならないのは、同性婚や夫婦別姓を推進する進歩主義者にとって、異性婚や夫婦同姓を選択する多数派の「心優しい善良な一般人」は、「古い遅れた伝統に固執（こしつ）する愚かな未開人」だという点だ。

「進歩した社会」では多数派が卑下（ひげ）されて冷遇され、少数派が賛美されて優遇される。すでにアメリカ社会はインターセクショナリティという概念にもとづき、弱者、少数者としての属性を数多く持つ人ほど優遇される社会になりつつある。男より女、女よりトランスジェンダーが優遇され、異性愛者より同性愛者が優遇され、白人より黒人が優遇され、キリスト教徒よりイスラム教徒が優遇される社会だ。

ここでは黒人女性異性愛者よりも黒人女性同性愛者が優遇され、黒人女性同性愛者よりも黒人トランスジェンダー同性愛者のほうが優遇される。弱者こそ強者、誰が最も弱者かという熾烈（しれつ）な弱者ポジション争奪戦の世界である。

これは冗談ではない。インターセクショナリティというのは、それを学問的に正当化するための概念であり、日本では朝日新聞がしばしばこの概念を紹介し、日本にもこれを広めようと画策している。いまある「階級制度」を新しい別の「階級制度」に置き換えようとする壮大な企みだ。

大阪地裁の「同性婚を認めないのは合憲」判決を受け、筆者が同性婚推進論者に異論を呈するツイートをしたところ、直ちに「差別主義者の飯山さん、同性愛者への差別は犯罪です。恥を知りなさい」と書き込んできたアカウントがあった。同アカウントは続けて、「あなたは、差別者に間違いなし。差別は犯罪。差別は醜い」と書き込んできた。

「誰もが生きやすい社会」のためにと同性婚を推進する人ほど、異なる意見を持つ人を排除するという典型例である。しかもそのやり方は極めて卑劣だ。異論を唱える他者に対し、一方的に「差別主義者」「犯罪者」のレッテルを貼る。それによって反対者の口封じをし、社会から抹殺しようと図り、それをSNSで公然と行うことによって他の反対者を萎縮させ、異論を封じ込めようとする。

彼らの偽善に騙されてはならない。そして彼らの脅しに屈してもならない。

第六章　ルッキズム（外見差別）

「美人だね」で社会的に抹殺

「生来持って生まれたものを評価の対象としてはいけない」という道徳律は近年、ますます強まっている。

特に顕著なのは、容姿・外見に対する評価を批判する傾向である。

他者の容姿について罵(ののし)ったり、バカにしたり、見下したり、笑いの対象としてはならないのは言うまでもなく、それを褒めたり称(たた)えたりしてもならないとされる。

朝日新聞は二〇二二年五月十五日、近畿大学が大学パンフレットに「美女図鑑」「美男図鑑」というコーナーを設けたことについて、東京大学名誉教授である上野千鶴子(ちづこ)氏の「時代錯誤(さくご)で、今どきこんなことがあるとは信じられません」という主張を掲載した。曰(いわ)く、「大学自ら公然とルッキズム（外見差別）に加担するような振る舞いをすることは時代の流れに逆行」するらしい。

お笑いタレントのパトリック・ハーラン氏は二月二十八日、朝日新聞のウェブサイトに次のようなコメントを投稿している。

〈「美しさ」を図る（ママ）条項は、体系（ママ）や身長、左右対称の顔立ち、頭髪の量、肌や目の色、しわやシミの数などなど、コントロールできないものも多く含まれる。それらが評価されるかぎり「理想」の特徴を持っていない人は損する。これは差別といってもいいだろう〉

なるほど、生来の容姿は自分自身でコントロールできないので、恵まれた容姿を持つ人を高く評価することは、恵まれない容姿を持つ人に対する差別にあたる、というわけだ。

朝日新聞は、四月二十一日には大阪大学教授・島岡まな氏の「外見を重視するルッキズムも人権侵害にあたる」という主張、五月十一日には甲南女子大学教授・米澤泉氏の「軽々しく『美人だね』などと言うことは、ルッキズム（外見による差別）と捉えられる。褒めてるからいいじゃない、とはならないのである」という主張を掲載している。

これはなかなか厳しい。美人に対して美人だと称賛することは、あろうことか不美人に対する差別だということになってしまうのだから大変である。「美人だね」の一言によって差別主義者のレッテルを貼られ、人権侵害だと糾弾され、社会的に抹殺されることにもなりかねない。迂闊に口にしてはならないセリフである。

一方、「生来持って生まれたものを評価の対象としてはいけない」という道徳律は、それを「正しい」ものとして社会に広めようとする朝日新聞や毎日新聞のようなメディアにひとつの課題を突きつける。その道徳律と、メディアが好んでとりあげるタレントや俳優の多くが概して美しいこととの整合性をとらなければならないからだ。

一般にタレントや俳優というのは、「他者より抜きん出て恵まれた容姿を持つ人の一部が、さらに選別され、磨きをかけられた存在」と理解されていると言えよう。しかしこれを認め、彼らは生来の恵まれた容姿ゆえにタレントや俳優になり、それゆえメディアは彼らを多く露出させているのだということになってしまうと、生来の要素を評価対象としてはならないという道徳律に矛盾する。

自縄自縛(じじょうじばく)である。

だが彼らには、この矛盾を回避する「妙案」がある。

広瀬すずは美しい、しかし

毎日新聞が二〇二二年三月五日に掲載した「なぜキレイじゃなきゃダメなの？　広瀬すずさんが感じた『格差』」という記事では、「俳優の広瀬すずさん(23)」について、次のように描写されている。

〈広瀬さんといえば、視聴者をぐいぐい感情移入させる演技力で、目が離せなくなる不思議な吸引力がある。取材場所に緑色のワンピース姿で現れると、りんとした品格があり、

ハッとさせられた〉

広瀬すずは美しい、しかしそれは彼女の生来の容姿ゆえではない、彼女の演技力、それに彼女の内面から滲み出る「吸引力」や「品格」ゆえである、だからそれを讃えることはルッキズムでも差別でもない、というわけだ。

「外見の美しさは内面による」と主張することは一見、「いいこと」のようにも映る。しかしこれは、「外見の美しさは内面による」ことにすればいくらでも外見を評価していいという主張であり、かたちを変えたルッキズムに他ならない。要するに偽善なのだ。

問題はまだある。実は「外見の美しさは内面による」と主張すればするほど、美人にはより一層有利になり、不美人にはより一層不利になる。なぜならこれにより、美人は外見だけでなく内面「も」美しいからこそ美人なのだということになる一方で、不美人は外見だけでなく内面「も」美しくないから不美人なのだということになりかねないからである。

美人が生来の恵まれた容姿を賛美されるだけなら、不美人にもまだ救いはある。不美人は単に生来の容姿に恵まれていないだけで、素晴らしい内面を持っている可能性が残されるからだ。しかし外見の美しさは内面によるということになってしまうと、内面の素晴らしい不美人というのは存在しないことになり、不美人にはもはや救いはない。

朝日新聞もルッキズムを実践

さらなる問題は、「外見の美しさは内面による」という主張が、「内面は外見に現れる」という信条と表裏一体の関係にあることに起因する。

二〇二二年四月二十八日の以下のツイート（現ポスト）は、二万以上の「いいね」を集めた。

〈性格は表情に出るし、生活は体型に出る。感性は服装に出て、意識は姿勢として見える。知性は言葉に出るし、丁寧さは所作として現れて、日々の積み重ねた努力から余裕が生まれる。人は見た目が9割というのは、ほんと。〉

ツイート主は五万人のフォロワーを持つ「超じゃがりこちゃん」を名乗るアカウントで、プロフィール欄には「ミスコン3大会で3名グランプリを出したスピーチ／話し方の先生です。選ばれる人になる方法をつぶやいています」（二〇二二年九月十四日現在）とある。

内面は外見に現れる、外見は日々の努力の結果なのだからそれを評価するのは正当である、という主張は「いいね」の数からして大いに支持されているようだが、逆に言えば、「残念な外見をした人間は内面を磨く努力を惜しんだダメ人間だ」ということでもある。

これは地獄だ。

表情のパッとしない人間は性格がパッとしないことの証（あかし）であり、たるんだ体型は怠惰（たいだ）な生活の証、センスの悪い服装は劣った感性そのものであり、姿勢が悪いことは意識が低いことを表し、話し下手は知識不足の証拠で、余裕のない人間は日々の努力の積み重ねがない人間だということになる。

しかしいくら努力したところで、短い脚は長くはならないし、大きな顔や不恰好（ぶかっこう）な体型が八頭身のシュッとしたスタイルに変わることもない。スタイル抜群の美女が憂（うれ）い顔で脚を組んでいれば絵になるが、短足不美人が同じことをしても絵にならないだけでなく、やれ内面の怠惰が現れているだの努力が足りないだのと批判される。

恵まれない容姿を持つ人が必死で努力しようと、生来恵まれた容姿を持つ人に外見でかなうわけがないことを万人が知っているにもかかわらず、努力を怠ることが許されない社会。それが「外見の美しさは内面による」という主張のまかり通る社会の実態だ。これは、容姿に恵まれない人にとってはあまり居心地のいいものではない。

朝日や毎日や上野千鶴子氏などがいくら外見を評価することをルッキズムだの差別だのと批判しようと、現実には人は他者の外見を評価せずにはいられない。道ですれ違っただけの人を外見によって瞬時に評価し、自分もまたされている。

誰もが日々、たくさんの人を「カワイイ」とか「イケメン」とか「ブサイク」とか評価しているはずだ。かく言う朝日も七月二日、「候補者の見た目、気になる?」という記事を掲載し、「顔の魅力度」が上がると選挙での得票率が増えたと結論づけている。

「外見の美しさは内面による」という決まり文句は、決してブサイクを救うことはない。むしろ世のブサイクや不美人の劣等感を煽り、努力しろ！ と追い詰める。一方で、美男美女には「内面も美しい」という付加価値をつける。

「外見の美しさは内面による」というのは、ルッキズムを批判する朝日や毎日が、実は自らもルッキズムを実践していることを誤魔化すための偽善にすぎない。テレビ朝日やTBSの女性アナウンサーの容姿を確認してみればいい。答えは一目瞭然である。

第七章　国連人権理事会の現実

中国の重大な人権侵害を助長

国連人権理事会は、「人権と基本的自由の促進と擁護に責任を持つ国連の主要な政府間機関」である。国連広報センターによると、同理事会は「人権侵害に取り組み、それに対応する勧告を行う」「人権の緊急事態に対処し、人権侵害を防止」「世界のいたるところで人権順守を監視し、加盟国が人権に関する義務を果たせるように支援する」とされている。

いわば同理事会は、国という枠組みを超えた人権の番人にして擁護者であるというわけだ。なんとも頼もしい。世界の人権問題は、ここに駆け込みさえすればたちまち解決されるかのような印象さえ与える。

ところがこの美しい理想は、単なる建前に過ぎない。現実はこの理想に大きく、そして醜(みにく)く反している。

二〇二二年十月六日、スイスで開催された国連人権理事会の定例会合で、中国新疆(しんきょう)ウイグル自治区での人権侵害問題に関する討論開催の是非を問う動議が否決された。否決されたということは、人権理事会ではウイグル人に対する人権侵害も中国政府の責任も討議する必要がない、と門前払いされたということだ。

二〇〇六年の人権理事会発足以来、安全保障理事会の常任理事国である中国が討議対象として挙げられたのは、これが初めてのケースである。世界の人権の擁護者たる機関が、特定の国の人権問題については疑う余地すら認めないなどということが許されるならば、その機関はもはや人権の擁護者を名乗る資格などない。単なる偽善者の集合体だ。

これに先立つ八月三十一日、国連人権高等弁務官事務所（ＯＨＣＨＲ）は、中国政府が新疆ウイグル自治区で「人道に対する罪」にあたる「重大な人権侵害」を行っているとする報告書を公表した。実はこの公表には、国連の人権部門のトップである国連人権高等弁務官のバチェレ氏が抵抗したことを複数の関係筋が明かしている。

英「フィナンシャル・タイムズ」紙は九月、報告書公表に際してはバチェレ氏本人からの抵抗を乗り越えなければならなかったとか、「バチェレ氏はそれ（公表）を遅らせる門番だった」といった証言を報じた。

バチェレ氏は五月、国連の人権部門トップとしては十七年ぶりに新疆ウイグル自治区を訪問し、視察を行った。彼女自身は「我々が（中国）政府に関与し、現地での真の変革に向けて建設的な協力をするうえで、訪問は私にとって極めて重要だった」と視察を高く評価したが、これはあくまでも中国政府のアレンジした「視察」であり、人権侵害の実態解明に寄与するところは一切なかった。

それどころかバチェレ氏は、中国から報告書を取り下げるよう要請され、実際に報告書公表に抵抗し続けた。彼女はこの報告書公表の十二分後に任期満了で職を辞したが、中国と対話し、中国政府を関与させることこそが問題解決につながるという立場を最後まで崩さなかった。

国連人権高等弁務官というのは、「人権実現の障害を取り除き、人権侵害の継続を防止」する任務を負うとされるが、バチェレ氏はむしろウイグル人に対する人権侵害の継続を助長し、人権実現を妨げてきたとさえ言える。

中国やロシアから多額の献金

十月の定例会議は、同報告書公表後初めて開催されたものだ。ロイター通信は「ある外交官」の話として、「各国は北京から中国を支持するよう『巨大な圧力』を受けている」と報じた。結果的に動議は反対十九、賛成十七、棄権十一で否決された。反対した国のなかには、ウイグル人と同じイスラム教徒が国民の多数派を占めるカタールやインドネシア、アラブ首長国連邦、パキスタン、ウズベキスタン、カザフスタンなども含まれていた。これらのイスラム諸国は中国の一帯一路政策に協力しており、投資や交易などを通して中国から得られる利益を、同宗者であるウイグル人の救済に優先させている。

今回の動議否決は、中国が人権理事会を支配する方法を知っており、またすでに人権理事会を支配することに成功している証だ。

中国は人権理事会の特別報告者を手懐けることにも成功している。国連の活動を監視するNGO「UNウォッチ」(UN Watch) は五月、国連が開示した情報に基づき、特別報告者であるアリーナ・ドゥハン氏が中国やロシアから多額の献金を受け、独裁国家の人権侵害隠蔽に加担していると報告した。

ドゥハン氏は二〇二一年、中国から二十万ドルを受け取り、「新疆は素晴らしい土地」というバナーを掲げた中国政府後援のイベントに、「新疆の人々は幸福な生活を送っている」云々と主張する中国高官らとともに「出演」した。彼女は同イベントのヘッドライナーを務めることで、「新疆は理想郷」だと偽り、ウイグル人迫害を隠蔽しようとする中国のプロパガンダに国連のお墨付きを与えたに等しい。

UNウォッチのヒレル・ノイアー事務局長は、「国連の人権調査官が中国政権から金を受け取るのは、シカゴ警察がアル・カポネから補助金を受け取るようなものだ」と非難し、

「直ちに（中国に）金を返還し、国連の人権専門家が中国政府によるウイグル人に対する犯罪を積極的に白紙化する手助けをしているという根拠のある疑念を取り除くよう求める」と述べた。

特別報告者の日本非難

ベラルーシ人であるドゥハン氏は他に、中国主催でベラルーシ、イラン、ニカラグア、ベネズエラ、ジンバブエが共同開催した西側諸国の制裁に反対するイベントにも登壇していた。

特別報告者は人権理事会によって任命されるものの、国連とは独立した個人の資格で活動することで独立性が担保されることになっている。しかし、その特別報告者が人権侵害を疑われている独裁国家に買収されている場合は、独裁国家を擁護し人権侵害の事実を隠蔽できるだけでなく、むしろ人権状況を悪化させているのは西側諸国による制裁なのだと責任転嫁することすら可能になる。

実際に、ドゥハン氏はイラン視察後に公表した五月の報告書で、イランに対する制裁は「国家収入の深刻な減少、インフレ、貧困率の増加、最も困っている人々の基本的ニーズを保証する資源の欠乏」につながる「人権と尊厳に対する深刻な脅威」だと述べ、アメリカを名指しで非難し、制裁解除を要求した。

イラン国民の苦境はすべてアメリカのせいだ、というのはイランの体制のプロパガンダそのものである。加えてイランと中国が二〇二一年、経済や安全保障における協力を強化する二十五カ年の包括的協力協定を締結したことにも留意すべきだ。

特別報告者の問題は、日本にとっても他人事ではない。日本は一九九六年、特別報告者のラディカ・クマラスワミ氏の公表した「戦時の軍事的性的奴隷制問題に関する報告書」により非難され、二〇一九年にも特別報告者のデービッド・ケイ氏により、日本では現在もメディアの独立性に懸念が残る、特定秘密保護法などでメディアが萎縮している可能性がある等と非難された過去がある。ドゥハン氏の一件からは、他の特別報告者の独立性についても疑いの余地があると言わざるを得ない。

国連人権理事会は、もはや「人権と基本的自由の促進と擁護に責任を持つ国連の主要な政府間機関」などではない。そこは「独裁国家同士が自国の人権侵害について国際的非難が生じないよう互いに庇い合う主要な政府間機関」であり、そこを支配しているのは世界第二位の経済大国となった人権侵害大国・中国である。

中国の特使は六日の投票前に、「今日、中国が標的にされた。明日は他のどの発展途上国も標的にされるだろう」と述べ、この動議が他国の人権記録を審査する前例となると警告した。中国の思惑どおりに動議が否決されると、「途上国の勝利だ」と歓迎した。これが国連人権理事会の実態だ。

「国連」というたいそうな名がついているからといって、正義を体現する代表的国際組織であるかのように勘違いしてはならない。「人権理事会」と名乗っているからといって、そこが人権問題を解決してくれると望みを託すのも間違っている。

そこはいまや、大量虐殺や強制収容、強制労働といった独裁国家の巨悪を隠蔽する「国際的偽善機関」と化している。既存システムと中国がそこを支配する実態が変わらない限り、国連人権理事会が本来の機能を果たす日は永遠に来るまい。

第八章　目覚めた人

「差別につながる呼称」

日本語には配偶者の呼称が複数ある。

女性配偶者に対しては嫁、妻、奥さん、女房、家内などがあり、男性配偶者に対しては旦那、主人、夫などがある。夫婦により、あるいは時と場合により、その呼称はさまざまであろう。

ところが、これらは全て「差別につながる呼称」なのだと喧伝する一味がいる。その代表格が「リベラル」なメディアだ。

毎日新聞は二〇二二年八月十二日、「『嫁・旦那』使いますか　読者の賛否反響から考えた」という記事を配信、九月九日と十日には、ほぼ同趣旨の記事を二日間にわたり朝刊に掲載した。冒頭には次のようにある。

〈「嫁さん」「旦那」という呼称はNGなのか――。こんなテーマを毎日新聞サイトと朝刊くらしナビ面で取り上げたところ、手紙やネット交流サービス（SNS）で賛否両論が寄せられた〉

まず、この「呼称はNGなのか」という質問の趣旨に思いを致す必要がある。これは少なくとも、この呼称がＮＧである可能性を前提としていると言える。加えてこの企画自体に、この呼称はＮＧなのだという方向へと世論を誘導する意図が透（す）けて見える。しかも、回答者は毎日新聞の読者である。回答には一定の偏（かたよ）りがあると受けとめるのが妥当であろう。記事は次のように続く。

〈「使うべきではない」と考える反対派がやや多かったが、「違和感はない」という肯定派も少なくはなかった。その一方で「仕方なく使う」という意見も目立った。声を寄せてくれた読者と共に、改めて配偶者間の呼称を考えてみた〉

毎日はあくまでも「考えてみた」という体裁（ていさい）をとる。しかしよく読めば、毎日はこれについて「考えて」などおらず、一般の日本人に馴染（なじ）みのある呼称は全て「差別につながる」のだと「教えて」いることがわかる。

その証拠に、記事には「差別につながる主な呼称」という一覧表が添付されている。

これによると、たとえば「嫁」は「息子と結婚してその家の一員となった女性。『夜の殿に仕（つか）える』若い女性を指すなど諸説ある」ので「差別につながる」とされる。同様に「女房」については、「現代では多少とも卑（いや）しめた気持ちで自分の妻のことをいう場合に多くみられる」ので「差別につながる」とされる。

なるほど、この一覧を目にした女性読者は、たとえば配偶者が自分のことを「女房」と呼んだ場合、「この人は私に対し卑しめた気持ちを持っているのか！」と「目覚め」、怒りをもって自らの配偶者に対し「女房という呼称は差別だ！　直ちに改めよ！」と迫るのが「正しい」態度だということになろう。

不満や怒りの矛先は第三者にも

日常的に用いている呼称が差別につながるとは露知らず、主人やら女房やらと言ったり言われたりしても何とも思わなかった「無知な民衆」に「正しい知識」を教える毎日新聞は、実に「親切」である。「差別は許されない」と活動を続ける毎日新聞は、自分たちが「歴史の正しい側」に立ち、社会正義の実現に貢献しているという確信に満ちている。

しかし一方で、こうした活動こそが「差別」を作り出しているという現実もある。

当該記事は、これまで慣れ親しんだ呼称を急に「差別語」に変える効果をもたらす。読者は自分の配偶者に対する呼称は差別かもしれないと俄かに不安になったり、あるいは配偶者の自分に対する呼称に対して急に不満や怒りを覚えたりするようになる、そういった作用もある。

この不満や怒りの矛先（ほこさき）は自身の配偶者のみにとどまらず、第三者にも向けられる。たとえば当該記事は、次のような事例を紹介している。

〈東京都内在住の勝佳澄さん（64）は、知人女性から夫について「勝さんのご主人様」と表現され、嫌悪感を抱いた経験を教えてくれた。「私は夫に仕えていない、夫は私の支配者じゃありません。『ご主人様』という言葉にものすごく抵抗がありました」〉

この経験談が示唆（しさ）するのは、この女性はおそらくある日を境に、夫を「ご主人様」と呼ばれることに嫌悪感を抱くようになったという変化だ。結婚当初からそう呼ばれることに嫌悪感を抱き続けていたなら、このような経験談にはならないであろう。

では、なぜその嫌悪感は生まれたのか。それは「主人」という呼称には差別的な意味があると誰かに、そう、おそらく毎日新聞に「教えて」もらったからだ。

当該記事には「主人」という呼称について、「家のぬしやあるじを指し、他人を従属・隷（れい）属（ぞく）させる者などを表していたが、妻が他人に対して自分の夫を指す時にも使われるようになった」とある。これまで「～さんのご主人様」と言われても特に何とも思わなかった人が、この語源を知るや否や、とたんにそう言われることに嫌悪感を覚えるようになったのだろう。

毎日新聞が配偶者間の呼称について、あれも差別、これも差別とする記事を掲載したのは、これが初めてではない。二〇二二年五月にも、「愛情込めても『嫁さんの弁当』『旦那の仕事』NG?配偶者どう呼ぶ」という記事、「嫁?主人?旦那? 結婚後、パートナーを何と呼びますか?」という記事を配信し、そこにもやはりご丁寧に「差別につながる主な呼称」一覧が添付されている。

「自己検閲」の日本

毎日新聞が同様の趣旨の記事を繰り返し配信し、そのたびにこの「差別につながる呼称」一覧を添付すれば、差別意識に「目覚める」人は着実に増加する。毎日新聞の熱心な読者であればあるほど、目覚める可能性は高まる。

いまはインターネットの時代である。記事は他のサイトにも転載され、SNSで拡散され、毎日新聞の読者以外の不特定多数の人々の目にも触れる。目覚める機会は誰にでもある。

一度目覚めた人は、配偶者に対するあらゆる呼称は差別につながるという意識を高め、いまだ目覚めていない人が主人や嫁、女房といった「差別につながる呼称」を何の気なしに使うことに不快や嫌悪感や怒りを募らせる。彼らは「差別は許されない」という強い正義感を持って、そうした呼称を用いる人を非難する。

どうやらいまの社会では、主人も嫁も女房も差別だと批判されるらしいという認識が広まると、やっかいごとを避けたいと思う人は自らそういった呼称を避けるようになる。いわゆる「自己検閲（けんえつ）」である。いまの日本はすでにこの状況にある。

アメリカでは、このように差別や人権問題などに目覚めた人は「ウォーク」（WOKE）と呼ばれる。英語で文字どおり「目覚めた人」の意味であるが、そこには「自らを絶対正義と信じ、異なる意見を持つ人を非難し差別主義者のレッテルを貼るやっかいな人」というニュアンスが含まれる。日本で言う「意識高い系」に近い。

目覚めた人が増えるほど差別が減り、みなが幸せになり、豊かで暮らしやすい社会になるならば、それほど素晴らしいことはない。しかし残念ながら、現実はそうなってはいない。

そもそも存在していなかった「差別」が作り出され、「差別だ！」と糾弾する人とされる人に、夫婦が、家族が、そして社会が分断される。私は夫を主人と呼び、夫は私を女房と呼ぶが、そこに差別意識はないし、双方とも了解済みである、といった反論はここでは無意味である。目覚めた人に合理性は通用しない。目覚めたら最後、彼らは今日も明日も「差別主義者」に正義の鉄槌（てっつい）を下し続ける。

国を弱体化させ、破壊したいと思うならば、家族という中間集団を弱体化させ、破壊するのが近道である。そのためには、そこに「差別」を作り出し、するりと滑り込ませるのが得策だ。「差別のない社会、誰もが生きやすい社会を作りましょう」と言えば、誰も反対はできない。破壊者は善人の顔をしてやって来る。

こんな親切ごかしの偽善者に振り回される必要などない。自分の配偶者のことは、呼びたいように呼べばいいのだ。目覚めた人に怒られたら、「それはそれは、申し訳ございませんでした」と返し、その場を切り抜ければよかろう。

第三者の場合には「では、何とお呼びすればいいでしょうか？」と訊けばいい。あれこれ先回りしても、万人のご機嫌を損ねないように振る舞うのはどうせ不可能なのだ。いろいろな人がいてこその自由な社会である。自己検閲などしている場合ではない。私たちには、私たちの自由な社会を死守する責任がある。

第九章　対話絶対論者

朝日社説がひた隠す闇

人間の歴史は戦争の歴史である。人のいるところに争いは生じる。それは二十一世紀のいまも変わらない。二〇二二年二月にはロシアがウクライナに軍事侵攻した。私の専門である中東地域においても、シリアやイエメンでは十年以上内戦が続き、パレスチナからイスラエルには定期的に、時に数百発のロケット弾が撃ち込まれ、エジプトでは「テロとの戦い」で毎年多くの兵士が犠牲になっている。

こうした世界の現状とは裏腹に、あらゆる争いは「対話」で解決すべきだと大上段から居丈高（いたけだか）に説教する言説が日本では目立つ。代表格が全国紙の社説だ。

朝日新聞は二〇二二年十一月四日、「ロシアの戦争　市民の命『人質』許さぬ」という社説で、ウクライナからの食料輸出に関する国際合意をロシアが無期限に停止したことを批判した。一方で当該合意について、「交戦中のウクライナとロシアが互いに交渉を拒むなか、仲介者の努力と工夫で膠着（こうちゃく）を打開した貴重な事例であり、将来の停戦交渉に向けたモデルにもなり得るもの」と称賛し、「脅（おど）しに屈せず、粘り強く働きかけて、譲歩を引き出す。たとえ戦争中であっても外交が力を発揮する、その重要な前例としたい」と述べた。

ここには実に巧妙な論点のすり替えが見られる。冒頭ではロシアが悪かったはずなのに、途中から交渉を拒むウクライナも悪いということになり、終盤になると第三国の外交努力と工夫が足りないからいつまでも停戦できないということになっている。

停戦できないのはロシアがウクライナから撤退しないからであり、それ以上でも以下でもない。ところが朝日の社説は、ウクライナや第三国にその責任の一端があるかのように印象付けることにより、ロシアの責任を有耶無耶にしている。ウクライナも悪いと喧嘩両成敗に持ち込むことにより、ロシアを利する主張でもある。

だがロシアの侵略行為は国際法違反であり、一方ウクライナの防戦は全ての国連加盟国に認められた自衛権の行使だ。

ここで朝日が「仲介者」として称えるのが国連とトルコである。ウクライナに軍事侵攻したロシアが依然として国連安保理常任理事国であるにもかかわらず、仲介者としての国連を称えるということは、いまある国連の構造を暗に支持しているわけだ。

トルコに関しても、あたかも公正な仲介者であるかのように称えているが、トルコ自体がイラクやシリアに軍事侵攻し、砲撃や空爆を繰り返しているのみならず、他国の領土を不当に占拠している占領国家でもあるという事実は、当該社説では巧妙に伏せられている。

対話による解決を訴えつつ、軍事侵攻したロシアの罪を有耶無耶にし、国連とトルコの闇を隠して賛美する朝日の社説は、偽善そのものだ。

「対話しろ」と言うべき相手

日経新聞は二〇二二年十一月四日、「イスラエルが担う中東和平の責任」という社説で、イスラエルの選挙でネタニヤフ元首相率いる政党が第一党になったことについて、「新政権がパレスチナ和平や対イラン政策で厳しい姿勢をとるのは確実で、中東の緊張が高まることへ警戒が必要だ」と警鐘を鳴らした。そして「パレスチナ問題は不安定な中東の根っこにある課題だ」と述べ、「ネタニヤフ氏には改めて二国家共存に沿ったパレスチナ自治政府との対話を求めたい」と訴えた。

イスラエルを「悪者」扱いする当該社説は、日経の中東情勢に対する無知と偏見を如実に露呈している。「中東が不安定なのはイスラエルのせい、パレスチナ問題のせいだ」というのは、現実と乖離した時代錯誤な認識だ。いまやパレスチナ問題は中東全体の主要課題ではなく、ローカルな課題にすぎない。そもそもイスラエルがどのような政権であろうと、常に対話を拒絶しイスラエルへのテロ攻撃を続けているのはパレスチナ側である。

パレスチナのイスラム過激派テロ組織ハマスは、対話による解決を公然と否定し、ジハードという名の武装闘争でイスラエルという国家を地上から消し去り、その全体をパレスチナという国家で覆(おお)い尽くすことを目指している。日経が「対話しろ」と言うべき相手はイスラエルではなく、武装強硬路線一点張りで無差別テロを続けるハマスのほうだ。

サウジやUAE、バーレーンといったアラブ諸国は、いくら資金援助してもテロや汚職に消えていくうえに、気に入らないことがあるとこれら諸国の王や首長を罵倒(ばとう)し、平気で写真や国旗を燃やしたり踏みつけたりする「恩知らず」なパレスチナを、すでに半ば見捨てている。アラブ諸国からパレスチナへの支援金が近年激減しているのは、そのためだ。

現在、中東の不安定の根源になっているのはイスラエルではなくイランである。イランはイスラエル殲滅(せんめつ)を国是として公然と掲げている。それは単なるお題目ではなく、イランはイスラエルにまで届く弾道ミサイルを開発し、ハマスやヒズボラといったイスラム過激派武装組織にミサイルやドローンをせっせと供与し、カネを与え、イスラエルを攻撃させている。イランのこの路線は、イスラエルがどのような政権であろうと変わらない。

日経はイスラエルではなくイフンに対し、イスラエル殲滅という国是を取り下げ対話で解決しろと要求してみればいい。

イランの「代理組織」化した武装勢力は、イラクやシリア、イエメン、レバノンといったアラブ諸国の内部に入り込んで国家を乗っ取り、そこからサウジ、UAEなどをミサイルやドローンで攻撃してもいる。イランは二〇二二年になると、自国から直接、イラクに弾道ミサイルを撃ち込むのも厭わなくなった。サウジでもUAEでもイラクでも死者が出ている。二〇二〇年にイスラエルとUAEやバーレーンが「アブラハム合意」を締結し国交正常化の道を選んだのは、イランの脅威に対抗するには互いに連携したほうが得策だという認識で一致したからである。

日経の社説が依拠している「中東はイスラエルとアラブ諸国が対立する不安定な地域で、諸悪の根源はイスラエル、主要な課題はパレスチナ問題」という認識は、二十世紀の中東戦争時代のそれである。しかしいまや、イスラエルとアラブ諸国は敵ではなく味方である。

毎日新聞も二〇二二年十一月七日の「イスラエルに右派政権　中東不安定化を危惧する」という社説で、「イスラエルに建国以来最も右寄りの政権が誕生することになった。中東情勢がますます緊迫することを危惧する」と述べ、「イスラエル軍が抗議行動を武力で封じようとすれば、暴力の連鎖を招く恐れがある」とイスラエルを悪者扱いした。日経の社説が露呈したのと同種の無知、偏見をここにも確認することができる。

悪いのは「やられたほう」

対話による解決を訴えるこれらの社説は、対話を絶対善、武力を絶対悪と決めつけ、なぜか「やられたほう」を非難する点で共通している。こんなにひどいことをされるのは、やられたほうにもよほど非があるのだろうという謎の確信に満ちている。ロシアがウクライナに軍事侵攻したのはウクライナのせいで、ハマスがイスラエルにロケット弾を撃ち込むのはイスラエルのせいだという主張は、日本の外交や防衛についての彼らの主張とも重なる。

日本にとっても戦争は他人事（ひとごと）ではない。二〇二二年三月にはロシアが日本を「非友好国」、要するに「敵国」に認定し、八月には中国が弾道ミサイル九発を発射してうち五発は日本のＥＥＺ（排他的経済水域）内に落下した。北朝鮮は二〇二二年に少なくとも七十三発のミサイルを発射している。彼らのロジックによると、ここでも悪いのは「やられたほう」、つまり日本だということになる。

日本がロシアに経済制裁したり防衛費増大を発表したりしてロシアや中国、北朝鮮を刺激したのが悪い、地域の軍拡を煽（あお）り不安定化させているのは日本だ、というのが朝日や毎日の常套句である。こんな出鱈目に騙されてはならない。

世界には他国を敵視し、侵略しようという意志を持ち、都合のいい歴史を持ち出したりストーリーをでっちあげたりしてそれを正当化し、侵略戦争にうって出る国がある。これに対し、対話の努力が足りないだのと言って「やられたほう」を非難するのは、侵略者を利する卑怯者の論理だ。卑怯者の偽善や対話という語の持つ美しい響きに惑わされてはならない。

第十章　スポーツ選手をプロパガンダに使う

日本代表を軽蔑する共産党議員

スポーツ選手は政治活動家でもあるべきだ、という考え方がある。

二〇二二年十一月から十二月にかけて開催されたサッカーW杯カタール大会でも、その場を利用して積極的に政治的メッセージを発する選手たちの姿がたびたび見られた。

十一月二十三日に行われた日本対ドイツ戦の前の記念撮影では、ドイツ代表チームが揃って右手で口元を隠すパフォーマンスを見せた。彼らは、国際サッカー連盟（FIFA）がドイツ代表に対し、多様性の尊重やLGBTQの人権などを訴えるレインボーカラーをあしらった腕章の着用を禁じたことに抗議した。FIFAはオレたちの口をふさいだ、オレたちから表現の自由を奪った、という意味だというわけだ。

このゲームで日本代表がドイツ代表に勝利すると、日本共産党所属の東京都中野区議会議員・羽鳥だいすけ氏は、ドイツ代表の口ふさぎパフォーマンスを紹介するツイート（現ポスト）を取り上げ、「日本とドイツのサッカー協会の差を見せつけられちゃうし、日本代表は勝っちゃうしで、残念というほかない」と引用リツイートした。

羽鳥氏のツイートに対し、日本共産党所属で鳥取県日野郡日南町議会議員の岡本健三氏も「同意します。私も本当に残念です」「別に日本人だからスポーツまで日本を応援しなきゃならん法はないだろ。俺はドイツチームの勇気とスポーツマンシップに感動してドイツチームを応援した。それが負けて残念だという一個人の感想を表明しているだけだ。それにおかしな文句つける奴はそもそもスポーツというものを理解してないんじゃない？」とツイートし、賛同の意を表した。

この二人の共産党議員に共通するのは、ドイツ代表の政治的パフォーマンスを高く評価し、それを行わない日本代表を軽蔑する姿勢だ。日本代表が政治的パフォーマンスをしなかったことに強い不満を覚える彼らに、日本代表チームの勝利は「残念」と映るだけでなく、それを理解せず日本の勝利を手放しで喜ぶ日本の一般大衆は「愚か」と映るのだろう。

しかし、彼らの批判は実に歪だ。彼らが本当に多様性のある社会の実現やＬＧＢＴＱの人権尊重を希求するならば、批判の矛先は腕章の着用を禁じたＦＩＦＡや、そもそも「多様な性」なるものを認めないイスラム教という宗教を国教とするカタールに向けられるべきであるはずである。

ところが彼らは、ＦＩＦＡやイスラム教やカタールを批判することはない。そのかわりに、日本代表チームや日本国民を批判し、悪し様に罵る。彼らは、多様性のある社会や人権の実現という正義を叫んでいるかのように装いつつ、日本を貶める言動をしている。いやむしろ、日本を貶めるために、W杯や多様性や人権を利用しているにすぎない可能性すらある。要するに、偽善者なのである。

日本は「スポーツ選手を甘やかしている」

スポーツ選手は政治活動家でもあるべきだという価値観は、朝日新聞にも通じる。朝日は二〇二二年十一月二十九日、「『選手甘やかしている』　社会問題に関わらない日本スポーツへの提言」という記事を掲載した。ここでは「スポーツと現代社会の関係性について研究を続ける成城大の山本敦久教授」が、いまやスポーツ選手は「社会運動や人権運動を展開していくのが当たり前」で、それが「欧米諸国ではスタンダード」なのであり、選手が政治意識に乏しいままプレーだけに集中させている日本は「スポーツ選手を甘やかしている」と批判した。

加えて山本氏は、「日本選手は世界のスタンダードから取り残されている状況」だと述べ、スポーツ選手が政治的メッセージを自由に発することができるように「私たちやメディアがそういう言論の空間を開いていくということが大事だと思います」と自らメディアとともにスポーツ選手を啓蒙し、正しい方向へと導く使命を負っている旨を宣言している。いわゆる「前衛」意識を彷彿とさせる論調だ。

この記事には「朝日新聞編集委員＝ＳＤＧｓ」という肩書きを持つ北郷美由紀氏や、「朝日新聞スポーツ部次長＝子供、社会」という肩書きを持つ後藤太輔氏が「スポーツやビジネスから人権を語り、メディアもその発信を紹介していくことが必要」云々と賛同のコメントを寄せている。ここからは、朝日はスポーツ選手の政治活動を応援する、なぜならそれが社会正義だからだ、という主張が読み取れる。

ところが、である。

山本氏のインタビュー記事掲載翌日、Ｗ杯のイラン対アメリカ戦を報じる朝日の記事の見出しには、「イラン×アメリカ、Ｗ杯での美しい戦い『せめて90分間は笑顔を』」とあり、冒頭には次のように書かれていた。

〈イランと米国の選手には迷惑な話だった。試合は異様な注目を集めていた。両国間の政治を絡めて、ピッチ外で雑音が続いたからだ〉

選手は政治的パフォーマンスをすべきであり、それが世界のスタンダードだ、朝日はそれを応援する、という趣旨の記事を掲載した翌日に、選手にとって政治は「迷惑」な「雑音」なのだと吐き捨てる。朝日新聞の二重基準、いわゆるダブルスタンダードは明白だ。

反米なら支持する

朝日はあらゆる政治的パフォーマンスを推奨しているわけではない。朝日は明らかに、「スポーツ選手がすべき政治的パフォーマンス」と「スポーツ選手がすべきではない政治的パフォーマンス」を使い分けている。

要するに、朝日が支持するイデオロギーはスポーツ選手も積極的に発信しなければならないが、朝日が支持しないイデオロギーはスポーツ選手であれ誰であれ発信してはならないのだ。

朝日が支持するイデオロギーのひとつが「ＬＧＢＴＱ差別反対」である。だから日本代表はＷ杯の場でドイツ代表がやったようなパフォーマンスをしなければならなかったのだ、と朝日は考える。それをしなかった日本代表は「甘やかされている」というわけだ。

しかし一方で、朝日の支持するイデオロギーの代表格としては「反米」も挙げられる。イランは自他ともに認める反米国家だ。朝日のイランに関する記事が概ね常に体制擁護的なのは、これが原因だ。そのイランで二〇二二年九月以降、反体制抗議デモが続いており、イランの体制はデモ参加者をすでに五百人以上殺害し、一万九千人以上を拘束したと伝えられている。

米国サッカー協会の公式ツイッター（現X）アカウントはイラン戦を前に、これに抗議する意味で、イラン国旗の中央部にある神を讃える言葉を模した図柄を削除して掲載した。朝日は、スポーツ業界やスポーツ選手は政治問題に積極的に関与すべきだと主張していた。さらに、反権力は朝日の掲げる主要イデオロギーでもある。ならば朝日は、米国サッカー協会のパフォーマンスを支持し、イランの体制という権力と戦うイランの一般人に寄り添うべきだと主張するのが当然のはずだ。

ところが朝日は、米国サッカー協会のこのパフォーマンスのせいで「チームは騒動に巻き込まれた」と批判し、「初戦で国歌に口を閉ざして反政府デモへの連帯を示した選手は、母国でどう迎えられるのだろうか」と、イラン代表が初戦のイングランド戦で国歌を歌わなかったことを暗に非難した。

反体制は支持するが、反米体制（イランの体制）への抗議は支持しない。スポーツ選手の政治的パフォーマンスは支持するが、反米体制（イランの体制）への抗議は認めない。朝日のダブスタは、このように分析できる。

同じく政治的パフォーマンスといっても、仮にスポーツ選手が、憲法改正賛成！ とか、原発推進賛成！ とか、防衛費増額賛成！ とか、選択的夫婦別姓反対！ とか、SDGsはウソだ！ などと訴え始めたら、朝日がどう反応するかを考えてみればいい。朝日がそうした選手を称賛するとは考え難い。

共産党員にせよ朝日にせよ、よりよい社会の実現を掲げ、そのためにスポーツ選手は声をあげるべきだ、積極的に政治的パフォーマンスをすべきだと主張する者たちは、実は自分たちの推すイデオロギーを広めるよう選手たちに強制しているにすぎない。スポーツ選手の「善意」に訴え、スポーツ選手をプロパガンダの手先として利用したいだけの偽善者に惑わされてはならない。

第十一章　犯罪を助長する「専門家」

山上容疑者の脳内を可視化？

「あの人は時代に敏感だ」

「あの人は感情に任せて行動したりしない人だ」

多くの人はこうした評価を聞けば、その人物は誉められている、高く評価されているという印象を持つであろう。

「時代に敏感」という句からは、社会や政治の問題に関心を持っているだけでなく、それらについて確たる主張を持ち、主体的に行動する人物という印象を受ける。

「感情に任せて行動しない」という句からは、一時の感情で衝動的に行動しない、冷静に考え計画的に行動する人物という印象を受ける。

少なくとも、ある人を批判する趣旨ではこうした表現は用いられまい。

安倍晋三元首相の襲撃事件から半年が経過した二〇二三年一月八日、メディア各社はこぞって当該事件を論じたり、振り返ったりする記事を掲載した。

朝日新聞が配信したのが、「『時代に敏感、感情任せでない犯行』　安倍氏銃撃、容疑者の投稿分析」という見出しの記事だ。安倍元首相を銃撃した山上徹也容疑者（42）がツイッター（現X）に残した投稿を、東洋大学教授で犯罪心理学が専門の桐生正幸氏が分析するという内容だ。

桐生氏は二〇一九年十月から二〇二二年六月までの一千三百六十三件のツイート（現ポスト）から頻出単語を抜き出し、頻度が高いほど大きく表示した画像を示す。朝日の記事には「山上容疑者と、ツイートに頻出していた単語」というキャプションとともに、マスクをした伏し目がちな山上容疑者の写真と桐生氏作の画像が並べられ、一枚の図として掲載されている。

最も大きな文字で表示されているのは「政権」「日本」、ついで「安倍」「自民党」「統一教会」「憲法」といった単語が続く。山上の脳内を可視化したかのような図であり、読者は山上の隠された心理を覗き見たかのような錯覚に陥る。

二〇一九年には「インセル」（いわゆる「非モテ」）についての書き込みが多く、二〇年には性被害を訴えた伊藤詩織さんについて「叩かれるのは政治的理由」とツイート、安倍政権で議論されていた集団的自衛権の行使について「手続きを飛ばすのは傲慢であり怠慢」などと「意見」を述べている。二一年になると旧統一教会への批判が登場し、戦国武将・明智光秀の「語り尽くせぬ恨みあれども、此度の戦決して私心にあらず。天下国家のため織田信長の首を取ることこそ天の道」といったセリフを投稿するようになり、二二年には「米中冷戦やウクライナ戦争を見ても安保法案は立憲主義の破壊で安倍はヒトラーなのだろうか」と投稿しているという。

計画的殺人を「世直し」と

これらを「分析」した桐生氏は、次のように結論づける。

〈これらの投稿を見ると、単に妄想や感情にまかせて犯行に及んだものとは考えにくい。国や政治、世界に対して興味関心もあり、自分の意見を述べることができる人、時代の情勢に敏感で、問題意識が高い人ではないかと思われます〉

この結論とツイートの因果関係は全く意味不明である。山上が国や政治、世界に関心を持ち、自分の意見を述べているからといって、なぜ彼の犯行が妄想的、感情的なものではないと結論づけることができるのか。むしろ山上のツイートは、彼がツイッター（現X）上に流布（るふ）している「全ての問題は政治が悪い」、あるいは「社会が悪い」といった「思想」に着想を得て、それを糧（かて）としてひたすら自身の妄想をたくましくし、信長の首を取った明智光秀に自身の願望や理想を投影し、ついには安倍氏をヒトラーと同一視し、殺されて当然の人間なのだと思い込むに至る過程を如実に映し出しているように見える。

山上のツイートは、いわゆる陰謀論者のそれに近い。陰謀論者は森羅万象（しんらばんしょう）に関心を持ち、あらゆる問題に敏感に反応し、自らの信じる論こそが正しい、それこそが世界の真理であると発信し続ける。政治や社会に関心を持っていることは、その人の発言や行動が論理的であることの証拠にはならない。

私は、桐生氏のような犯罪心理学の「専門家」ではない。しかし当該記事では、桐生氏の分析が犯罪心理の素人（しろうと）である私の分析より説得力がある、と証明するだけの合理的な説明は提示されていない。

因果関係も論拠も不明であるにもかかわらず、桐生氏は犯罪心理学の「専門家」にして大学教授であるがゆえに、彼の分析は権威あるものとして提示される。その提示の場を提供しているのが朝日新聞だ。

桐生氏の提示する「権威ある分析」は、感情に任せて衝動的に行動したりしない、社会や政治、世界についても高い問題意識を持つ人物、「世直し」の意識すら持っていた人物として「山上像」を提示する。

山上は武器を自作し、念入りに計画を練ったうえで犯行に及んだと伝えられている。日本の刑法上、計画的殺人は衝動的殺人よりも罪が重い。ところが、山上の計画的殺人は、なぜか犯罪心理学の「専門家」の手によって、時代の情勢に敏感で問題意識が高い人物による、熟慮のうえでの、世直しのための捨て身の決起、として提示されているのだ。

「正しい人」の危険な行為

それだけではない。桐生氏は、一九年の京都アニメーションの放火殺人事件や二一年の北新地クリニックの放火殺人事件と山上の犯行を比較し、前二者については「社会への漠然とした不安感を抱え、逆恨み的な攻撃で問題解決を図り、多くの人を巻き込んだ犯罪だった」と批判する一方、後者については「自制心もうかがわれる」「ある程度、犯行の目的とそれがもたらす効果を客観視」と分析している。

感情的で短絡的であるがゆえに多くの人を巻き込んだ前二者とは違い、思想を持ち、冷静かつ計画的に安倍氏だけを狙った山上は別格、あるいは格上だと言わんばかりである。

これについての桐生氏の結論が以下だ。

〈犯罪は、その時代を映すネガティブな鏡のようなもの。今回の犯行形態は、時代の変わり目に出現するような、社会のあり方や価値観が混乱しているような時期にみられる犯罪

ともとらえられる。近年の一連の犯罪傾向とは異なるものと考えられる〉

犯罪は時代を映す鏡だと前置きしながら、冷静で計画的な安倍氏銃撃事件は混乱した時代を反映しており、感情的で衝動的な京アニ事件や北新地クリニック事件は安定した時代を反映していると結論づける論理は、皆目理解できない。

事件前には0（ゼロ）だった山上のアカウントのフォロワー数が、事件後、約四万五千にまで急増、投稿に対しても多数のリツイートや「いいね」がつき、拡散されたことについても、桐生氏は次のように分析する。

〈この事件は、これまで私たちが見て見ぬふりをしてきた、変だなと感じながらも言葉に出さずにいた部分を揺さぶる要因があったのかもしれない。彼の犯行に、決して賛同してはいけないと思いながらも、いまの社会を考えたときに共感してしまうところがあったのではないか〉

なるほど、彼の犯行には賛同できないがこれまで隠蔽（いんぺい）されてきた社会の巨悪を暴いた彼の行動に共感する人が多いのも当然だというわけだ。桐生氏の「考察」は続く。

〈ツイートの背後に、日本社会の閉塞感（へいそくかん）に対する憤（いきどお）りが感じられ、そこに反応した。政治のあり方、差別、女性蔑視（べっし）、戦争といった多くの課題を抱える世の中に目を向けさせた。

ひるがえって、漠然と感じていた息苦しさに気づき、それらの課題を無視することのリスクを感じた。そんな気持ちが「いいね」の形になって表れているのかもしれません〉

現状では、山上の犯行目的や意図は断片的に報じられているのみである。ところが、桐生氏は山上のツイートを分析することにより、あたかも彼が隠蔽されてきた社会の巨悪を暴いた世直しの義士、正義の味方であるかの如く描写する。

世の矛盾を指摘し、社会問題に警鐘（けいしょう）を鳴らし、弱者、犠牲者に心を寄せるのは「正しい人」だ。しかし、そうした「正しい意識」を理由に犯罪に一定の意義を認める人は「正しい人」とは言い難い。それどころか、「正しい意識」やポリシーさえあれば、あるいはそれを正当化する理由さえあれば殺人は許容されるのだという趣旨の思想を広めることは、殺人を助長する危険な行為であるとも言える。

犯罪を助長するような解説をする「専門家」やそれを掲載するメディアは、偽善者の誹（そし）りを免れ得ない。ましてや、殺人の容疑者を「褒める」など、言語道断だ。

第十二章　上野千鶴子氏の裏切り

自ら「負け犬」を名乗るが……

結婚しない人が増えている。

二〇二二年六月に内閣府から発表された『少子化社会対策白書』によると、「生涯未婚率」は年々増加しており、一九七〇年には男性一・七%、女性三・三%だったのに対して、二〇二〇年には男性二八・三%、女性一七・八%となった。生涯未婚率とは、五十歳になった時点で一度も結婚したことがない人の割合である。

「生涯未婚者」や「非婚者」という言葉には、どこか寂しい印象がつきまとう。最期には孤独死をむかえて無縁仏（むえんぼとけ）となる、という負のイメージとも重なりやすい。これに「おひとりさま」という新しい名称を与え、その印象をポジティブに変えようとした人物がいる。東京大学名誉教授で、フェミニストとしても名高い上野千鶴子（ちづこ）氏だ。

二〇〇七年に出版された『おひとりさまの老後』（法研）に始まる上野氏の「おひとりさま」シリーズ本は、累計百二十八万部を売り上げたベストセラーだ。二〇二一年発売の『在宅ひとり死のススメ』（文春新書）で上野氏は、「わたしには家族がいませんので、基本、ひとりで暮らしています。現在七十二歳。このまま人生の下り坂をくだり、要介護認定を受け、ひとり静かに死んで。ある日、亡くなっているのを発見されたら、それを『孤独死』とは、呼ばれたくない。それが本書の執筆動機です」と述べている。

著者の上野氏も非婚だ、というのがこのシリーズの前提である。彼女は自ら「負け犬」を名乗り、卑下(ひげ)してみせるリップサービスも忘れない。私もあなたたちと同じなんだと、仲間意識を喚起する。

ショッピングサイト・アマゾンには、当該シリーズ本について「独りで生き抜く勇気をもらいました。自分に強く生き抜くって大変だけど、素敵だとおもいました」とか、「私も一人だけど、やっぱり幸せです」「この本は、生きるための道標(みちしるべ)（戦略本）になると思います」「私はお一人様ですが、とても参考になり、友達にも勧めてます!!」といったレビューが多数寄せられ、軒並(のきな)み高評価がつけられている。

上野氏は間違いなく非婚者の星であり、ロールモデルだった。「その道」で最も稼いだ人物の一人でもあろう。

ところが二月末、『週刊文春』が「〝おひとりさまの教祖〟上野千鶴子が入籍していた」という記事を出した。実は、上野氏は「負け犬」ではなかったのだ。

ある男性と二十年以上前から恋愛関係を続け、結婚か養子縁組かは不明だが入籍し、相続もしていたと報じられている。相手の男性は二年前に亡くなったが、晩年に生活を支え最期を看取ったのは上野氏で、火葬の際には「本当に憔悴していた」という。

これはおかしい。これではまるで、仲睦まじい夫婦そのものではないか。

上野氏は自らが非婚派だっただけでなく、結婚という制度自体を強固に否定し、いかに結婚が誤った制度であるかについて、社会に対し声高に訴えてきた。

非婚者の増加に「貢献」

二〇一六年九月には『東洋経済』で、結婚について「自分の身体の性的使用権を、特定の唯一の異性に、生涯にわたって、排他的に譲渡する契約のこと」と定義している。これはマルクスの盟友エンゲルスが、一夫一婦制によって女性は男性の奴隷及び子供を生産する道具となった、と述べたことを彷彿とさせる。上野氏は自らを「マルクス主義的フェミニスト」を名乗って憚らない。

二〇二〇年四月には『週刊金曜日』で、「結婚という法制度自体がイヤ」「自分のセックスの相手をお国に登録する意味は、まったく認められません」とも述べている。

ところが、彼女は入籍していた。言行不一致も、ここまでくれば見事なものだ。

いや、感心している場合ではない。彼女に影響を受け、結婚や出産のタイミングを逃した人は少なからず存在するだろう。一九七六年生まれの私も、女は自立しろ、男に頼るな、結婚も出産も自由を失うだけだ、そんなものをするのは愚かな女だけだ、と言われて育った。女の子は「私は一生、結婚なんてしない。職業を持ち一人で自立して生きていく」と宣言することこそが正しい、と教わってきた。上野氏は間違いなく、そうした社会の風潮を先導していた一人だ。

京都精華大学人文学部教授から一九九三年には東大文学部の助教授となり、一九九五年には東大大学院の教授となった。論壇でもメディアでもフェミニズムの旗手として脚光を浴び、世に非婚やおひとりさまなどをススメてきた。上野千鶴子は、男に依存せず自立していて、意気軒昂で知的で、なおかつ社会的地位も名誉もある、新しい時代の女性の理想像を体現していたはずだった。

彼女の活躍と連動するように、日本の生涯未婚率は上昇し、少子高齢化も進んだ。上野氏のイデオロギーや活動が、わが国における非婚者の増加や少子高齢化に多少なりとも「貢献」した可能性を勘ぐるのは、私だけではあるまい。

結婚するかしないか、子供を産むか産まないか。重大な局面でこうした選択を迫られた女性が、上野氏の主張や、彼女が牽引してきた「フェミニズム」的な思想や生き方に影響を受け、非婚や子供を産まないほうへと背中を押された事例は少なくなかろう。夫にも子供にも縛られず、自由にのびのびと、しかも日本の最高学府の教授として活躍する彼女の姿に自身を重ね、こんな生き方もいいなとか、私もこうありたいと思った女性や、非婚という自分の選択は正しかったと自己肯定したり、結婚や子育てに自由を奪われ翻弄される主婦に対して、敗北感ではなく優越感を感じたりした女性もいただろう。

おひとりさまとは言っても、生涯未婚者と連れ合いに先立たれてひとりになるのとでは全く違う。

前者だったはずの上野氏は、実は後者だったわけだ。彼女には、自分には愛し愛された家族がいたという記憶が残っているだろう。愛した人と過ごした年月と思い出に加え、財産まで受け継いでいる。彼女は、いまは物理的にはおひとりさまかもしれないが、心のなかは温かいもので満たされているはずだ。それらのすべては、生涯未婚者には限りなく縁遠い。

家族というのは、長い歴史のなかで、無数の人間たちが子孫を生み育てるだけでなく、自らの心の拠り所ともしてきた共同体だ。しかし上野氏をはじめとする現代の社会学者は、家族は人間一人ひとりの「居場所」にして愛情と幸福の源である、という理念を「幻想」だと否定してきた。現代社会学は家族というものを、個人を縛り付け、自由を奪う監獄のようなイメージで捉える。その家族から脱却すること、あるいは家族を作らない、結婚しないことが、新しい、正しい生き方だと喧伝されてきた先に、いまの日本がある。

「平等に貧しくなろう」と言いながら

ところが、当の上野氏自身は、他人に対しては非婚やおひとりさまを勧めつつ、自らはちゃっかり伴侶を得て家族を築いていた。

不特定多数の人を孤独な人生へと導いておいて、自らは温かい幸せに包まれていた。

これほど偽善に満ちた裏切りは、そうはあるまい。

彼女は「平等に貧しくなろう」と「脱成長」を訴えているが、自身は東京都武蔵野市のタワーマンションの上層階を購入して居住し、愛車はＢＭＷで、八ヶ岳の別荘も「相続」している。

上野氏が「お前たちはせいぜい平等に貧しく暮らせ」と仰せなのは、自身がすでに十分に「成長」し、美味しい思いをしてきたからであろう。我々一般庶民は、そこまで侮られているのだ。

彼女の言行不一致は著しく、自分だけは特別だという特権意識は、「平等」という彼女の掲げる崇高な理想とはあまりにかけ離れている。

私は生涯未婚を否定しない。結婚したくない人もいるだろうし、したくてもできなかったという人もいるだろう。しかし、生涯未婚率上昇の背景に、結婚を否定し、非婚こそ是だ、それこそ進歩的女性のあるべき姿だ、というイデオロギーを吹聴してきた上野氏のような左翼活動家がいたこと、小学校から中学校、高校でも、そして大学という高等教育の場でも、メディアでも、それが肯定されてきたことは確認しておく必要がある。

「私はあなたたち弱者の味方だ」と言う活動家の甘言に騙されてはならない。よく見れば、彼らが弱者などではなく特権を持つ強者だということがわかるはずだ。

第十三章　中東を「平和」にした中国

中国が誇示する「物語」

世界には問題が多い。戦争やテロの現場の悲惨な映像を目の当たりにすると、誰しも「平和はあまりに遠い」と絶望的な気分になる。そこへもし、「自分ならば世界を平和にできる」と豪語する者が現れたらどうだろう。そしてそう豪語するだけでなく、実際に長く対立しあってきた二つの国を仲裁してみせたらどうだろう。

これは仮定の話ではない。実際に起こった出来事だ。

二〇二三年三月十日、中東の「大国」であるサウジアラビアとイランが外交関係を正常化することで合意した、と発表した。仲裁したのは中国である。

中国の外交トップである王毅共産党政治局委員は十日、この合意について「対話の勝利であり、平和の勝利だ。現在の混乱し、不安に満ちた世界に対し、重大な朗報をもたらし、明確なシグナルを送った」と述べた。

王毅氏は当該合意を、中国の「グローバル安全保障イニシアティブ」（ＧＳＩ）の成功例だと自負し、中国は「善意に基づく信頼できる仲裁者」としての職責を忠実に果たすと宣言した。ＧＳＩは中国が二月に発表した構想であり、ここにおいて中国は世界の安全保障にかかわる困難な問題を対話によって平和的に解決し、世界平和を維持する責任を負うとする。

日本の「反戦派」が見たら涙を流して喜びそうな内容であるが、中国の狡猾なところは、それを単なる構想に留めず、当該合意により、中国ならば世界を平和にできるという印象を与えることに成功した点だ。四月六日にはサウジとイランの両外相が北京で会談し、両者の握手したその手の上に中国外相が手を重ね、仲裁者然と振る舞った。

中国が誇示したいのは、アメリカに代わり中国が世界を支配する超大国となるという夢の実現がいよいよ中東から始まる、という「物語」だ。

しかし、これはまだ「物語」の段階だ。重要なのは現実である。

サウジとイランは和解に向けて合意はしたものの、その合意内容はまだ履行されてはいない。共同声明には「二カ月以内に外交関係を再開することで合意」とあるが、両国間ではすでに互いを牽制しあう「情報戦」が展開されている。

サウジとイランは、これまでに何度も断交と和解を繰り返してきた。

サウジの高官やメディアが発するメッセージは概ね、約束を破るのはいつもイランであり、侵略行為を続けてきたのもイランであり、イランは信用できない国なので、今回の合意も履行されるかどうかはわからないが、履行されれば地域の利益になるだろう、という趣旨だ。サウジのほうが圧倒的に強い立場にあり、対するイランは国内外の危機に瀕した弱い立場にあると認識している。

イランの側は、断交したのもサウジなら、侵略的姿勢を貫いてきたのもサウジのほうだと主張している。こちらは、イランが大国であるという現実の前にサウジが屈服した、という認識だ。

サウジとイランの思惑

国と国の間の関係正常化は「デタント」（雪解け）と表現されることが多いが、サウジとイランの関係はまだそのようなあたたかさや思いやりに満ちたものでは全くない。

皮肉なことに、両国に共通するのは、仲裁者である中国に感謝の意を示してはいても、「中国こそが世界を平和にする」という認識はほとんど全く示していない点である。

サウジ外相は三月十一日、「サウジとイランの外交関係再開は、政治的解決と対話を優先するというサウジのビジョンと、それをこの地域で永続させたいという熱意から生まれたもの」だとツイート（現ポスト）した。サウジは今回の合意について、善隣外交と国際協定の尊重、他国への不干渉というサウジの従来のアプローチの延長線上にあるものだと主張している。

サウジを代表するジャーナリストであり汎アラブ紙「シャルクルアウサト」の元編集長でもあるターリク・ホマイド氏は、「中国がこの合意の保証人だ。ということは、イランが合意を反故にすれば結果が伴うという意味だ」と述べている。イランが合意に反すれば中国からの支援、利益を失うという意味にもとれるし、中国に対して責任を念押しする趣旨にもとれる。

対するイランは、今回の合意はイラン政権の近隣諸国重視政策の成果であり、サウジは自らの過ち、失敗に気付いたから関係正常化に応じたのだと主張している。

また、これはアメリカとイスラエルの失敗に起因するとも主張している。アメリカとイスラエルはイランとサウジの間に亀裂を生じさせたり、あるいは世界中で「イラン恐怖症」を引き起こす戦略をとったりしてきたが、両国の関係正常化によりそれは完全な失敗に終わったのだ、という「解釈」だ。

イランの最高指導者ハメネイ師の軍事顧問であるサファヴィ少将は、当該合意は中東におけるアメリカの覇権に終止符を打ち、ポスト・アメリカ時代の到来を告げるものであるとし、いよいよアメリカとイスラエルの衰退が始まったと述べている。

イランはアメリカを大悪魔、イスラエルを小悪魔と呼び、この両悪魔が世界を支配し、イランを亡きものにしようと陰謀を巡らせているという「世界観」に生きている。イランがその両悪魔に「抵抗」し、「イスラム革命の輸出」によって他の「抵抗勢力」と手を携(たずさ)えて両悪魔を「殲滅(せんめつ)」し、世界の「被抑圧者たち」を「解放」する、というのがイランの憲法に刻まれた目標だ。

合意後も、イランがこうした従来どおりの世界観を前面に押し出した国家プロパガンダを継続していることからは、イランがアメリカ殲滅、イスラエル殲滅、そして世界征服という目標を捨てていないどころか、むしろその実現に向け自信を深めつつあることが窺(うかが)える。

だからであろう。イランも「中国が世界を平和にする」とは述べない。

イランにとって、世界平和とはイランが成し遂げるものであって、中国ではない。

他方、サウジが目指しているのは「世界の平和」云々(うんぬん)ではなく、自国にとってより確実な安全保障、より多くの経済的利益を確保するための合理的アプローチだ。彼らは、これを「パートナーの多様化」と呼ぶ。

勘違いしてはならないのは、サウジもイランも中国の子分に成り下がる気など一切ないという点だ。中国を利用できる場合には利用するが、主役はあくまでも自国だ。

中国が覇権を握る世界

また、両国ともイスラム教を国教とするイスラム教国である点も重要だ。イスラム教において、宗教を持たない者は「不信仰者」というとりわけ邪悪で野蛮な存在と認定される。メッカとメディナというイスラム教の二聖都の擁護者を自負するサウジと、イスラム革命のうえに建国されたイランが、不信仰者の国である中国に跪（ひざまず）くなど、想像することすら困難だ。

一方で、当該合意は「内政不干渉の原則」を掲げ、互いが互いの国内の人権問題には干渉しないことを強調している。サウジとイランは中国との関係から得られる利益を優先し、イスラム教の同胞であるウイグル人を完全に見捨てた。中国が高らかにその成果を誇るこの合意は、夥（おびただ）しい数のウイグル人の犠牲を覆（おお）い隠したうえに成り立っている。

中国人民大学国際問題研究所の王義偉所長は、「当該合意は、西洋医学では解決できない問題を中国医学が解決できることを証明するものだ」と述べた。しかし、問題はまだ解決されていない。解決されるかどうかもわからないにもかかわらず、「私が診たのだから解決されたに違いない」と一方的に断言する医者など、信用に値しない。

長い対立と裏切りの歴史を持つ二つの国が、ひとつの合意をもって過去を全て水に流し、不信感を完全に捨てて互いをすっかり信用しきるなどというのは現実的にあり得ない。

ましてや、そうした諸国の関係が複雑に絡み合う世界を、魔法のように「平和にできる」などと豪語するのは、平和を希求する人々のすがりつくような思いを利用しようとする偽善者に他ならない。

中国が覇権を握る世界がどのようなものになるかは、中国国内の現状から推し量ればいい。少数派に対するジェノサイドが行われ、敵対者は囚われたり亡き者にされたりし、外国人も容疑事実が明かされないまま拘束され、自由な言論は弾圧され、民の声が政治に反映される手段はない。

これを「平和」と言うなら、それは「平和」の定義が変わる時だ。

第十四章　テロを利用する「一部極端な界隈」

タリバンやハマスに寄り添う

「衝撃のニュース。（中略）テロ、暴力行為は断じて許されるものではなく、一ミリも肯定されるべきではない」

二〇二三年四月十五日、岸田総理が遊説先の和歌山県で爆発物を投げつけられた事件を受けこうツイート（現ポスト）したのは、TBS中東支局長の須賀川拓氏だ。

これだけならば常識的な反応であるが、このツイートは次のように続く。

「にもかかわらず、左翼マスコミはテロを賛美している、とか、容認した結果また起きた、と言ったような意見が見受けられる。なんともはや。いや、確かに一部極端な界隈ではありましたが、そうしたヒトたちと十把一絡げに同一視するのはいかがなものか」

実に唐突である。この「にもかかわらず」は、須賀川氏自身が「左翼マスコミ」の代表者を自認していると理解しない限り、説明がつかない。このオレが「テロは許されない」と言っているにもかかわらず、左翼マスコミはテロを賛美している云々とマスコミを批判するツイートがあるのはなにごとぞ、ということだ。

しかし須賀川氏は左翼マスコミの代表者ではない。左翼マスコミの総意を須賀川氏が代表してツイートするなどという決定は、寡聞にして知らない。須賀川氏が「テロは許されない」と言ったからといって、一般大衆がマスコミを批判してはならないなどということにはなりえない。そもそもツイッター（現X）は「つぶやき」の場だ。ツイッターのルールを逸脱しない限り、ユーザーには発言の自由がある。それを須賀川氏にとやかく言われる筋合いはない。

しかも須賀川氏自身、「テロ、暴力行為は断じて許されるものではなく、一ミリも肯定されるべきではない」という立場を一貫してきたかというと、かなり疑わしい。

TBS中東支局長である須賀川氏はこれまで、タリバンやハマスといったイスラム過激派テロ組織を取材してきた。

経済平和研究所（IEP）が毎年発表している世界テロ指数（GTI）によると、タリバンは二〇一八年、二〇一九年の二年連続で最も多くの人を殺したテロ組織とされており、二〇一九年の一年間だけでも四千九百九十人を殺害している。タリバンは反米を掲げているものの、彼らが殺した人の大半はアフガニスタン人であり、女性や子供も多く含まれる。

彼らの大義は「口だけ」だ。

このタリバンが二〇二一年八月、アフガニスタンの首都カブールを制圧すると、須賀川氏は取材のため「タリバンから特別な許可」を得てアフガニスタン入りし、オンエアではタリバン兵について「かなりフレンドリーな感じ、笑顔で」「（自分たちに対して）冗談を飛ばしたりとかいうようなこともあるわけなんです」と好意的にリポートしたうえに、次のようにツイートした。

「タリバンが悪くない、とは一言も言っていない。ただ、悪者はタリバンだけなのか。アフガンでの様々な悲劇は、この国の歴史や二十年間ものアメリカ軍による占領が、大きく関わっている。過激な言葉でタリバンを批判することが、本当にアフガンの人々を助けることになるのか。現実を見つめる必要がある」

アメリカが何をしようと、タリバンが毎年、女性や子供を含む数千人のアフガニスタン人をテロで惨殺してきたことは正当化されない。両者は別問題だ。ところが須賀川氏は、「アメリカだって悪い」と述べることで、批判の矛先をタリバンではなくアメリカに向ける。これはタリバンの悪を相対化し、うやむやにする詭弁だ。

須賀川氏は二〇二一年五月には、パレスチナ自治区ガザを実効支配するイスラム過激派テロ組織ハマスが撃ち込んでくるロケット弾をイスラエルが迎撃する様子を取材し、次のようにリポートした。

「ちょっと悲しいのはこの、ガザのハマスだったりイスラミック・ジハードだったりっていうのは、迎撃されるのがわかっていながらこれだけロケットを放ってきて、でこうやって、ほとんどああやって迎撃されるのをわかっていて、で実際撃って、それに対してものすごい報復を受けるっていうのも絶対わかってるはずなんですけど、で、報復を受けるってことはやっぱりそれだけパレスチナの人々が亡くなってしまう、ってこともわかっていて、それでもなお撃ってくる、撃つしかないのかもしれないし、それ以外にこう、自分たちの考えを伝える方法がないと思ってるのかもしれないですけど、それも極めて悲しい現実ですよね」

ハマスのロケット弾攻撃はイスラエルの一般人を標的とした無差別テロ攻撃であり、迎撃しなければ無数の人命が失われる。ところが須賀川氏は、ハマスのロケット弾が迎撃されることについて「悲しい」と繰り返す。彼が寄り添っているのはテロ攻撃を実行しているハマスであり、それに怯(おび)えるイスラエルの一般人ではない。

テロの首謀者に映画の宣伝を依頼

彼はこの二カ月前には、次のようなツイートもしていた。

「私がパレスチナ寄りであることは否定しません。そして、過去に多くの国民を失ったイスラエルが徹底的に危険を排除するのも当然です。戦争に明確な善悪なんてありません。ただ、圧倒的火力で叩き潰す(つぶ)のは…アイアンドームでほぼ全てロケット弾を迎撃し、F15で空爆😩」

彼は自身が「パレスチナ寄り」であることを認めたうえ、イスラエルがハマスのロケット弾を迎撃することに「がっかり」しているわけだ。

これだけではない。須賀川氏はこうしたタリバンやハマスへの取材が高く評価され、二〇二二年には「国際報道で優れた業績をあげたジャーナリストに贈られる」とされる「ボーン・上田記念国際記者賞」を受賞、同年末には須賀川氏自身が監督するドキュメンタリー映画『戦場記者』(TBS DOCS)が全国公開された。

同映画の公式ホームページには、お笑い芸人の太田光氏や東京新聞記者の望月衣塑子(いそこ)氏など多数の「著名人」から寄せられた推薦コメントが掲載され、そのなかには日本赤軍の創設者である重信房子(しげのぶふさこ)の次のような推薦コメントもあった。

「戦場記者が命がけで送る映像が心に突き刺さる。占領する強者の圧倒的暴力と、強いら(し)れた弱者の家族や子供達の死と惨劇に耐え生きる姿。パレスチナで、ウクライナで、アフガニスタンで戦争がいかに庶民を犠牲に晒されていくか、日本の報道番組では見れない映像の数々にこの映画が戦場の真実を伝えようとしていることが分る」

日本赤軍は世界各地で多数のテロ事件を起こし、多数の人を殺傷してきた国際テロ組織である。彼女は刑に服したものの、出所したいまも、自分たちの殺したなかには生物化学兵器を開発していた悪い奴がいたんだと言ったり、自分たちの「抵抗」はアラブ世界では称賛されているんだと言ったりするなど、「反省の念」が見られないどころか自己正当化に余念がない。

須賀川氏あるいはTBSは、テロを繰り返し、服役してなおそれを正当化する人物に、自身の、あるいは自社の映画の宣伝を依頼したわけだ。

得意技は偽善と偽装か

偽善者にも典型例がある。

「テロは許されない」「一ミリも肯定されるべきではない」といかにも善人、常識人然と振る舞いながら、実はこれまで数々のテロ組織を取材しつつ、被害者ではなく加害者であるテロ組織のほうに寄り添い、詭弁を弄してそのテロ行為を相対化したり、正当化したりする自身の姿を公共の電波に乗せて全国に伝え、映画化して全国公開し、その映画の宣伝を国際テロ組織の創始者に依頼してきた須賀川氏が、まさにその最たる例だ。

加えて彼は一般視聴者相手に、「一部極端な界隈」と自分を「十把一絡げに同一視」するなど声を荒（あら）らげているのだから呆れる。自分をよほど特別な存在だと思っているらしい。須賀川氏こそ、いみじくも彼自身が「一部極端な界隈」と呼んでいる、その代表格ではないか。しかし彼には、その自覚はないようだ。

なお須賀川氏は、ＴＢＳ中東支局長という肩書きながら英国ロンドン在住であり、映画『戦場記者』のメインイメージに当初、戦場ではなく事故現場の写真を使用し、私がそれを指摘・批判しツイッターが炎上したあと、別の写真に差し替えたという過去もある。得意技は偽善と偽装といったところか。

第十五章　「性の多様性」なる奇妙な価値観

日本には一億二千万の性がある？

朝日新聞の一面には毎日、天声人語というコラムが掲載されている。朝日によると、これは「朝日新聞の顔」である「名物コラム」らしい。

二〇二三年五月十七日の天声人語は「ＬＧＢＴと学校教育」だ。

冒頭から、「自民党がきのうまとめた『ＬＧＢＴ理解増進法案』は、批判的な一部の保守派議員らの意見であちこちが修正された」と「保守派」を批判し、保守派議員が「『おとぎ話の王子様は男性と結婚しましたというような教材』が学校で使われることに、真顔で懸念を示した」ことについて「行き過ぎた教育」とでも思っているのだろうと嘲る。

そして、天声人語はこう言う。学校で使われている道徳教科書を見てごらんなさい、そこにはＬＧＢＴについて、「現実的で、実社会で役立つ知識が得られる内容」が書かれているのだ、と。

挙げられているのは次のような事例だ。

ある中二の「公正、公平、社会正義」の項目はこう始まる。「性のあり方は、男・女の二つだけではなく、人の数だけあります」。そして、「好きになる性」が異性であるのが「普通」とされたら、性的少数者が悩むことがある、と書く。

中学二年用の道徳教科書の「公正、公平、社会正義」の項目が「性のあり方」から始まっているとするなら、実に唐突だ。中学生対象ならば、友達関係、クラスのなかのいじめ、部活の上下関係、親や教師といった大人との関係など、それを考えるのに身近で適切な課題はいくらでもあろう。なぜ、いきなり「性のあり方」なのか。

しかも当該教科書は「性のあり方は、男・女の二つだけではなく、人の数だけありま す」という。これはなかなか思い切った宣言である。日本の人口は約一億二千万人である。ということは、日本には一億二千万の性があるわけだ。

もし人の数だけ性があるとするなら、自分以外の他者はみな「異性」だということになる。ならば人は、どんな相手を好きになろうと、全ては「異性愛」だ。ということは、「同性愛」という問題は存在し得なくなる。多数派も少数派もない。我々は異性愛／同性愛問題から解き放たれ、ＬＧＢＴやら性的少数者やらといったことも問題ではなくなる。

「みんなちがって、みんないい。」

あれこれ逡巡（しゅんじゅん）した挙句、たどり着くのは金子みすゞの世界だ。多くの日本人にとっては、こちらのほうがよほどしっくりくる帰結であろう。

子供を混乱させる悪質な教科書

ところが、である。

当該教科書には「『好きになる性』が異性であるのが『普通』とされたら、性的少数者が悩むことがある」と書かれているらしい。これは論理的に矛盾している。少し頭の切れる中学生ならば、一人ひとり性が違うなら誰を好きになろうと相手は異性であり、性的少数者などというものは存在し得ないはずだと気づくだろう。しかし教科書や授業、学校というのは、それ自体が「権威」として機能する。客観的に見れば偏っていたとしても、それにその場で生徒が反駁するのは難しい。

「一人ひとり性が違う」という「定義」は、性の多様性に極限まで斟酌した結果であろう。しかし、この定義が別の矛盾を生み出し、自己の論理破綻に帰着していることに、当該教科書は無自覚である。偽善者ごかしで子供を混乱させる、実に悪質な教科書だ。

しかも、天声人語はこれを「現実的で、実社会で役立つ知識が得られる内容」と絶賛し、実例として「制服のスカートを嫌がる女子生徒や、不登校のロングヘアの男の子」を挙げる。

だが、これもまた矛盾だ。この前提になっているのは、女ならばスカートをはくべき、男ならば短髪であるべき、という「決めつけ」である。その決めつけがあるからこそ、スカートを嫌がるということは女ではない、いやむしろ男だとか、ロングヘアを好むということは男ではない、いやむしろ女だとかいう、わけのわからない判断が生まれ、ほらこれこそが性の多様性だ、として提示される。そもそも、そういった性による決めつけはあってはならない、というのが多様性を認めようという考えの根幹にあったはずだったのではなかろうか。

朝日新聞や件（くだん）の道徳教科書は、これまで我々が「スカートの嫌いな女だってロングヘアを好む男だっていくらでもいる」と理解してきた、その「ふつうの価値観」を転覆させ、「性の多様性」なる奇妙な価値観で置き換えようとしている。彼らは、性的少数者に理解のある「いい人」のふりをしつつ、実は性別による決めつけを強化し、子供を混乱・動揺させるという悪をなす偽善者だ。

「性の多様性」を認めろというイデオロギーはまた、別の問題をも生み出す。というのも、世界に目を向ければ、「性のあり方は、男・女の二つだけ」だという価値観を神由来の至高の真理として信じている人々が数多く存在するからだ。人の数だけ性はあると学校で

「習った」子供は、性は男女の二つしかないと信じる人に出会ったら、その価値観は正しくない、間違っている、遅れた誤った価値観だと批判し、あるいは見下す可能性がある。「性のあり方は、男・女の二つだけではなく、人の数だけあります」と書かれた教科書で「学ぶ」ということは、そういう効果をもたらしうるのだ。

二十一世紀のリベラル諸国の奇習

イスラム教徒は、性は男女の二つしかないと信じる。なぜなら、聖典『コーラン』に、神は人を男と女として創造した、とあるからだ。すべての人間は男か女のどちらかであり、その中間とか、どちらでもないとか、時には男になるが別の時には女に変わる、といった存在はありえない。婚姻が認められるのは異性間のみであり、同性婚は認められないだけでなく、同性愛行為は死に値する大罪だと教義で規定されている。

国連総会では二〇二一年十二月、国連史上初めて「性的指向」と「性自認」に言及した決議が採択され、加盟国に対しそれらを差別する法律や慣行を排除するための措置を講じるよう要請した。サウジアラビアの国連大使はこれに対し、神は人を男と女として創造したのであり、そのどちらかに当てはまらないものは「自然に反している」と主張し、当該決議内容についてサウジは留保すると述べた。

サウジのイスラム教の最高権威であるアブドゥルアズィーズ・アール・アッシャイフ師も、「性的指向」や「性自認」という用語はアラブとイスラム教のアイデンティティに反しており全く受け入れられないと述べ、さらに同性愛は「全能の神の目から見て最も凶悪で醜い犯罪の一つ」であり、その罪を犯した者は「神に忌み嫌われ、現世でも来世でも貶められ軽蔑される」と断罪した。

同じく、イスラム教の国であるカタールで二〇二二年十一月に開催されたサッカーW杯では、イングランドやドイツを含む欧州の七チームが性的少数者への支持を表明するレインボーカラーをあしらった腕章の着用を計画していたものの、ＦＩＦＡから「スポーツ制裁」を科すという警告を受け、着用断念に追い込まれた。

カタールでは同性愛行為が法で禁じられており、カタール大会開催直前には国際人権ＮＧＯヒューマン・ライツ・ウォッチ（ＨＲＷ）が、カタール当局は国内でＬＧＢＴの人々を恣意的に拘束し、虐待しているとする報告書を公表した。

二〇二三年五月には、フランスのサッカー「リーグ１」のトゥールーズ対ナントの試合で、選手がレインボーカラーの背番号のついたユニフォームを着用しＬＧＢＴ支持を示そうというキャンペーンが予定されていたところ、イスラム教徒の選手五人が欠場を申し出た。そのうちの一人であるナントのムスタファ・ムハンマド選手はその日、私はすべての違いを尊重するが私の個人的な信条も尊重してほしい、私のルーツ、文化、信念や信条の重要性を考えると、このキャンペーンに参加することは不可能だった、と欠場の理由をツイート（現ポスト）した。彼はこうも述べている。

「私の決断が尊重されること、議論したくないという私の願いも尊重されること、誰もが敬意をもって扱われることを望みます」

「性の多様性」なる価値観は普遍ではない。俯瞰すれば、それはむしろ「二十一世紀のリベラル諸国の奇習」と言える。

日本社会を分断し、子供を混乱させ、国際社会との対立を呼び込む偽善者のプロパガンダに乗せられてはならない。

第十六章　朝日の「イスラム推し」キャンペーン

世界の宗教二世問題

「推し」という言葉が流行している。

他者に推薦したいくらい溺愛（できあい）している対象を指す俗語だ。なかでも特に「推し」ているという意味の派生語には、「神推し」とか「激推し」というものがある。

二〇二三年の初頭から朝日が「激推し」しているのがイスラム教だ。

一月四日の朝日新聞朝刊一面トップ記事は「信仰、幸せ?　足かせ?」という見出しで、「目覚まし時計の音で目を覚ますと、外はまだ暗い。決まった方向にむかって礼拝する時間だ」という冒頭から始まる。

これは、ある「新興宗教」の熱心な信者だった両親のもとに生まれた女性が「宗教が自分にとって足かせだ」と気づき、「お守り」を捨て親元を離れ一人暮らしを始めて「自由」になったあと、大阪ミナミのカフェで日本とパキスタンの血をひくイスラム教徒の若い男性に「宗教持ってる?」と声をかけられたのを契機にイスラム教に心惹（ひ）かれて入信、その男性と結婚して「心は楽になり」、幸せに暮らしているという「ストーリー」だ。

実に奇妙で矛盾に満ちた記事である。新興宗教は「足かせ」だと批判する一方で、同じ宗教であるイスラム教は救いの場として位置付ける。宗教二世の悲惨さを伝えるという趣旨にもかかわらず、その当事者がイスラム教という別の宗教に入信することは肯定的にとらえている。

イスラム教の教義は棄教を認めない。イスラム教信仰を棄てるということはすなわち、神の救済を棄てることを意味するため、そのような者には棄教を思いとどまるよう促し、それでも改めなければ死刑に処するか、あるいは悔い改めるまで拘束すべきだとイスラム法は定める。加えてイスラム法は、イスラム教徒の親元に生まれた子供は生まれながらにしてイスラム教徒だと規定する。生まれた子供に宗教を選択する自由はない。もちろん棄教する自由もない。

昨今、日本では宗教二世というともっぱら統一教会など新興宗教の信者の子供が問題となっているが、世界では宗教二世問題といえば主流はイスラム教だ。イスラム教を棄教して親族に殺されるケース、殺されることを恐れて表面上イスラム教徒を装うことを余儀なくされるケースがあとを絶たない。ネット上には、そういった「隠れイスラム棄教者」が集うコミュニティが多数存在する。

朝日の記事でとりあげられた女性は、両親の信仰ゆえに宗教二世として苦しんだはずなのに、イスラム教という決して抜けることのできない宗教に入信し、子供が生まれれば必ずイスラム教徒になるという道を選択しているのだから、宗教二世問題の解決どころか、その再現ループに自ら入り込んでいることになる。

しかし朝日は、こうした不都合には一切触れない。そして、記事はこう締めくくられている。

「朝目覚めると抱きしめてくれる彼がいる。それが、何よりの幸せだ」

イスラム教の教義を隠蔽（いんぺい）しつつ、宗教二世として苦しむ人も、イスラム教徒になりさえすれば救われるかのように印象付けるこの記事の偽善性は深刻だ。

「ムスリム同胞団」の掲げるスローガンと同じ

朝日の偽善、ダブスタに当惑している場合ではない。ここから怒濤（どとう）の「イスラム推し」が始まる。

二〇二三年五月六日から九日にかけて「日本人、イスラム教徒になる」という連載記事を四回にわたって掲載、第一回の見出しは「着物姿で入信したイスラム教『怖い』という偏見が消えた私の一人旅」、第二回は「船上で会ったのはビールを飲むムスリム　運命を感じた私が目指す共生」、第三回は「家族にも言えない秘密を抱えて生きる私　一度は捨てたコーランを手に」、第四回は「『テロリストになったんか』祖母は驚いた　それでも私が信じる理由」とある。

これらの記事は、イスラム教を「怖い」と思うのは偏見である、イスラム教徒はみな優しくていい人たちで人懐っこい、ビールを飲むイスラム教徒だっている、イスラム教は平等の宗教、助け合いの宗教、イスラム教に入信すると生きやすい、イスラム教は心のよりどころになる等々と徹底的にイスラム教を擁護、肯定し、賛美すらしている。

五月六日には「『日本人のイスラム教徒』が増える理由　国内のモスクは二十年で七倍」という記事で、在日イスラム教徒は二〇二〇年末で約二十三万人となり、このうち日本人や結婚等で永住資格を持つ人は約四万七千人で、十年前の一万～二万人から倍増したと紹介する。

イスラム教の礼拝所「モスク」も一九九九年には全国で十五カ所だったが、二〇二一年三月には百十三カ所にまでなったとする。

わずか二十年間に、在日イスラム教徒の数も日本人イスラム教徒の数も倍以上に増加し、モスクの数に至っては七倍以上に増えたわけだ。急増、激増と言っていい。

この記事に対し、上越教育大学大学院准教授の塚田穂高（ほたか）氏は次のようにコメントしている。

〈重要なのは、日本人ムスリムも数万人程度で、数が増えてきていることだ。もはや「外国人の宗教」「遠い中東・アラブの宗教」などというイメージも変えなくてはならないだろう。そして、「国に帰れ」とか「土葬したいのなら母国に遺体を送ったら」などというのが、いかに的外れで悪質で恥ずべきヘイトスピーチなのか、肝（きも）に銘（めい）じ、撲滅すべき時だろう〉

なるほど、こうして見ると、朝日の「イスラム推し」キャンペーンの趣旨が理解できる。ひとつめは、迷い悩める現代の日本人に「イスラムにこそ救いがある」「イスラムこそ解決」という選択肢を提示することだ。

実は「イスラムこそ解決」というのは、朝日が日本のイスラム研究者とともに、長年にわたり強力に推進してきたプロパガンダのひとつである。冷戦終結により、「米帝」の支配する資本主義秩序に代わる選択肢としての共産主義が目に見えて瓦解（がかい）したあと、彼らが縋（すが）り付いたもののひとつがイスラム教だ。

「イスラムこそ解決」というプロパガンダは、彼らのオリジナルではない。近代以降のイスラム過激派テロ組織の母体ともいうべき「ムスリム同胞団」の掲げるスローガンが、まさに「イスラムこそ解決」だ。ムスリム同胞団を代表するイデオローグであるサイイド・クトゥブ（一九六六年没）は著書『道標』で、イスラムこそ西洋文明に代わる新たな指導原理だと論じた。

クトゥブはイスラム法による統治を行わない為政者はニセのイスラム教徒なので、暴力を用いてでも排除しなければならないとして武装蜂起を正当化する理論を確立、エジプト当局によって拘束、処刑され、著書『道標』は発禁処分となったが、彼の思想はいまに至るまでイスラム過激派に多大な影響を与えている。現代のイスラム過激派思想のルーツはクトゥブにあると言っていい。

ヘイトのレッテル貼り

ふたつめは、イスラム教はもはや「外国のもの」ではなく「日本のもの」だとすることにより、ヘイトや差別を封じ込めることにある。

大分県日出町では、土葬墓地建設を求めるイスラム教徒と地元住民との間の折り合いがつかない状況が五年以上続いているが、県弁護士会の松尾康利人権擁護委員長は二〇二三年五月、「外国人やイスラム教だからという理由での反対はヘイトスピーチにあたり違法行為になるおそれがある」と述べた。土葬墓地建設反対には、すでにヘイトのレッテルが貼られている。宮城県石巻市でも土葬墓地建設を市に要請する運動が始まり、全国に拡大する気配が見える。

イスラムという宗教には、社会を根底から変え、変質させる力がある。朝日が「新興宗教」を批判する一方でイスラム教を絶賛するのは、おそらく彼らがその潜在力を認識し、それに期待しているからだ。

いまある日本がとにかく気に入らない、日本社会が憎くてたまらない彼らにとって、日本で激増しつつあるイスラム教徒は希望の光だ。朝日の「イスラム推し」には、彼らならば日本を根底から覆してくれるに違いないという仄暗い願望が垣間見える。

イスラム教に「革命」や「社会変革」という自らの夢と願望を投影し、「イスラム推し」に走る左翼知識人は欧米にも多い。フランスでは、これを「イスラム左翼主義」と呼ぶ。

朝日新聞には、北朝鮮を「地上の楽園」と賛美したり、ポルポトやスターリンを讃えたりした過去がある。朝日の「イスラム推し」は、その延長線上にある。

第十七章　大衆を騙し、洗脳する

スターリンをひたすら絶賛

人は誰しも複数の顔を持つ。

どれほど極悪非道な犯罪者や残虐な独裁者にも、「いい人」の側面はあるものだ。しかしだからといって、それがその人の犯罪や残虐行為を正当化するわけではない、というのが道理である。

ところが朝日新聞は、その道理を持ち合わせていない。朝日は独裁者やテロリストの「いい人」の側面を強調して美化し、その人の醜悪極まりない側面を隠蔽したり、矮小化したり、正当化したりする。

一般に他者を称賛するのは美徳である。しかし、それが不都合な事実を覆い隠したり、特定のイデオロギー的目的を果たしたりするためだとすれば、それは偽善である。ましてや、独裁者やテロリストを偶像化し、その人に倣うべきだと吹聴する行為は、民主主義の否定にしてテロの推進・幇助の咎を免れない。

朝日新聞は一九五三年、ソビエト連邦の「最高指導者」ヨシフ・スターリンが死亡した際、「なくなったスターリン首相　子供ずきなおじさん」という見出しでその死を報じたことで知られている。朝日のこの子供向けの記事は、スターリンがいわゆる「大粛清」やホロドモールなどにより数千万人もの命を奪ったとされる件には一切言及せず、「まずしさのなかで育ったので、早くから、びんぼうな人にたいする、あたたかい同情があった」とか、「小さいときからかっぱつで、なかまから人気がありました」「いつも優等」などと、スターリンをひたすら絶賛した。

この記事だけ読んだ子供は、なるほど、スターリンというのは幼少期から死に至るまで、実に立派な人物だったのだと洗脳される。

米国を憎み、諸悪の根源は米国覇権にあると信じる反米論者にとって、スターリンはいわば「反米スター」だ。インターネットが存在しなかった一九五三年当時、偽情報や偏向報道によって大衆を騙し、洗脳するのは朝日にとって容易(たやす)いことだっただろう。

彼らのその卑劣(ひれつ)なやり方は、ネットの普及とSNSの発展によって徐々に一般に通用しなくなってきている。だからこそ彼らはいま、日本の一般人が情報を掴みづらいジャンルで、偏向報道による印象操作に躍起なのだ。

一例が中東報道である。

二〇二〇年にイラン革命防衛隊のソレイマニ司令官が米軍の作戦によって殺害された際、

朝日は彼を「イランの国民的英雄」「清貧（せいひん）の軍人」などと持ち上げ、これを殺害した米国と当時のトランプ政権を批判した。

朝日新聞はソレイマニを絶賛し、彼を殺害した米国のほうが悪い、トランプ政権が悪い云々（うんぬん）という「専門家」の主張を次々と掲載した。

「最恐テロリスト」を偶像化

メディアへの露出が多いことで知られる国際政治学者で現在、東京大学大学院教授の鈴木一人（かずと）氏は朝日紙上で、ソレイマニを「アイドル」と偶像視し、「中東における武装組織の指揮官としてはおそらく最も優秀で、輝かしい戦績を誇る」「国内外で高く評価」と褒めちぎり、ソレイマニの殺害命令を出したトランプ大統領は「オバマには出来ないことを自分は実現したという姿を見せたいという思いもあったのだろう」とか、「この問題（トランプ大統領弾劾（だんがい）決議）から国民の目をそらす必要があると考えた可能性もある」などと揶揄（やゆ）した。

また、東京外国語大学・松永泰行（やすゆき）教授は、「殺害されたソレイマニ司令官は、部下が負傷すれば病院に駆けつけ、亡くなれば実家に駆けつけて家族とともに泣く、浪花節（なにわぶし）的な人物だった。国民からは英雄とみられ、大統領候補に推す声もあるほどだった」というコメントを朝日に寄せた。

実際のソレイマニはイランの対外工作の首謀者であり、イラン国内だけでなく、イラク、シリア、イエメン、アフガニスタンなどでも数万人の罪なき一般人の命を奪った張本人だ。しかもそのやり方は、自らの意に沿わない人々を街ごと包囲して餓死させたり、化学兵器を使用したりするなど残虐極まりない。彼は、アラブ諸国ではもっぱら「最恐テロリスト」として知られてきた。しかし、彼は日本では無名の存在である。

朝日にとっては、日本で知られていない外国の「最恐テロリスト」を偶像化し、「米帝」の暴力の被害者として祭り上げることなど、お手のものだ。朝日は「専門家」と協力し、こうした事件を「米国は悪だ」という印象操作に利用しているのである。

この朝日が二〇二三年七月十二日、「女性蔑視の組織、変えられなかった　日本赤軍元最高幹部・重信房子さんの悔恨」という記事を掲載した。同記事は「ＴｈｉｎｋＧｅｎｄｅｒ　ジェンダーを考える」というコーナーに載っている。重信はいつの間にか、ジェンダーを考えるうえでのロールモデルとされているわけだ。

記事は冒頭、重信を次のように紹介する。

〈昨年五月、刑期満了で出所した「日本赤軍」元最高幹部の重信房子さん(77)。オランダ・ハーグのフランス大使館占拠事件に共謀し、殺人未遂の罪などで服役した。「武装闘争を選択したことは未熟だった。観念の〝正しさ〟に頭が占拠され、人と人との関係や痛みに無自覚だった。身勝手から間違った路線に進んでしまった」と当時を振り返る。今、議論を封じ、女性蔑視もあった組織の体質を省みながら、「被害を強いた方々に謝罪をしたい」と話す〉

「大使館占拠事件に共謀」「殺人未遂」といった言葉からは、重信の犯した罪はあくまでも軽微で、彼女は人の命を奪ったりはしていないのだと印象づけられる。

しかし一九七二年、イスラエルの空港で自動小銃を乱射し二十六人を殺した日本人三人を主導したのは重信であり、その後、世界各地で凶悪テロ事件を次々と起こし、無数の無辜の人々の命を脅かし、日本政府を脅してカネを奪ってきた国際テロ組織・日本赤軍を創設したのも重信だ。朝日の記事はこうした事実を隠蔽し、極度に矮小化している。

しかも朝日は、重信はもう反省しているじゃないかと擁護したうえで、「そんなことはさておき」とばかりに急に論点をすり替え、彼女は実は、五十年前から女性差別と闘ってきた先駆的フェミニストなのだと彼女を賛美し、彼女に倣おうと言い出す。

当該記事のなかで、重信は左翼運動内における女性差別の「被害者」として位置付けられる。しかし、重信は泣き寝入りなどしない。「(女性に) 補助的な仕事しかさせないのは差別」と赤軍派中央委員会に提起し、「なまいき」「女のくせに」と言われたので、「女で上等、それが何か」と啖呵を切ったという。

「社会が変わらない限り議論しても無駄。闘争の過程で人間として女性の価値を認めさせるしかない」と考えた、と記事にはある。

要するに、重信が武装闘争に至ったのは、「世界同時革命」や「パレスチナ解放」だけでなく実は女性差別と戦う意味もあったのだ、と擁護しているわけだ。

仲間をけしかけ、世界中でハイジャックや襲撃や爆破を実行することがどう女性差別との戦いにつながるのか、私には皆目見当がつかない。

大学で教鞭をとる「活動家」

しかし当該記事のなかで、小杉亮子埼玉大准教授は「社会の器を変えようとするあまり、無謀な武力闘争に踏み込む人もでたが、功罪両面で学べることはまだある」と「学生運動」を擁護する。

小杉氏は、連合赤軍事件を描いた山本直樹氏の漫画『レッド』がヒットするなど、この時代に興味を持つ若い人は少なからずいるとし、「授業で当時のデモ映像をみせると、その勢いに恐れおののきつつ、社会への情熱に感心する学生もいるし、当時の学生の問題意識を説明すれば理解を示す学生も多い」と述べ、いまの学生が「運動」しないのは「学生運動＝悪というイメージが植えつけられ」たからだ、と日本社会を批判する。

日本の大学にはいまも、日本赤軍や連合赤軍を「学生運動」と同様に捉えて偶像化し、彼らの「社会を変えよう」とする「情熱」を賛美し、いまの学生にそれを伝え勧める「活動家」がいるのだ。

テロに「功」の側面などない。それを認めることは、理由をこじつけ暴力を正当化するテロ擁護論に他ならない。

日頃から戦争反対！　暴力反対！　対話による平和的問題解決を！　と喧しい朝日新聞が、左翼のテロは平気で擁護し、それに倣えと示唆して憚らない。彼らの矛盾や悍ましい偽善は放置せず、見つけた端から悉く暴いていかなければならない。

第十八章　外務省の宣言を真に受けてはならない

邦人保護より保身を優先

在外公館は外国と外交を行ううえでの重要拠点である。外務省は在外公館のひとつである大使館について、次のように説明している。

「大使館は、基本的に各国の首都におかれ、その国に対し日本を代表するもので、相手国政府との交渉や連絡、政治・経済その他の情報の収集・分析、日本を正しく理解してもらうための広報文化活動などを行っています。また、邦人の生命・財産を保護することも重要な任務です」

なるほど、邦人保護は大使館の「重要な任務」らしい。しかし、そう自負しつつ全うしていないとすれば、彼らはウソつきだということになる。外務省は邦人保護より保身を優先し、それによって邦人に害をなす偽善の省である疑いすらある。

二〇二三年八月二十二日、日本政府はＡＬＰＳ処理水を二十四日から海洋放出すると発表した。ＡＬＰＳ処理水について外務省は、東京電力福島第一原子力発電所の建屋内にある放射性物質を含む水について、トリチウム以外の放射性物質を、安全基準を満たすまで浄化した水のことだと説明している。

これを受け、在中国の日本大使館は二十四日、「ＡＬＰＳ処理水の海洋放出開始に伴う注意喚起」を出した。そこにはこう書かれている。

「現時点では、当館において、ＡＬＰＳ処理水の海洋放出に起因して日本人が何らかのトラブルに巻き込まれた事例は確認されておりませんが、不測の事態が発生する可能性は排除できないため、注意していただきますようお願いします」

同大使館は、翌二十五日にも次のような注意喚起を出した。

「昨日（二十四日）、不測の事態が発生する可能性は排除できないため注意していただくようお願いしましたが、以下の点について留意していただきますよう改めてお願いいたします。

(1)外出する際には、不必要に日本語を大きな声で話さないなど、慎重な言動を心がける。

(2)大使館を訪問する必要がある場合は、大使館周囲の様子に細心の注意を払う」

この注意喚起は実に奇妙だ。異様と言ってもいい。

というのも、二十四日にはすでに「不測の事態」が発生していたからだ。

日本テレビの報道によると、二十四日、山東省の日本人学校に中国人の男が投石する事件が発生、二十五日には江蘇（こうそ）省の日本人学校に卵が投げ込まれる事件が発生した。日テレはこれらを「嫌がらせ」と報じているが、投石というのは人命を奪いかねない暴力であり、大したことはないという印象を与える「嫌がらせ」という表現は不適切である。

より不適切なのは日本大使館だ。投石事件を受けてなお、その事実を在留邦人と共有せず、「日本語を大きな声で話すな」など意味不明なアドバイスをするだけでお茶を濁している。多くの場合、日本人は顔つきや服装、仕草などで日本人だと判別がつく。日本語を話さなければ中国人と区別がつかないので攻撃対象になるのを避けられる、などということはない。大使館にその認識がないはずはなく、要するに「日本語を話すな」というのは、一応具体的なアドバイスをしました、というパフォーマンスにすぎない。

中国には、いまもなお十万人を超える在留邦人がいる。また、中国には文科省の認定を受けた日本人学校が十二校あり、上海日本人学校だけでも生徒数は二千人近い。日本人学校に投石があったと聞けば、そこに子供を通わせることを躊躇する親も多いはずだ。事は日本の子供の生命、教育にかかわる一大事である。「日本語を話すな」などという無意味なアドバイス如きで済まされるような事態ではない。

ところが、同大使館は二十七日にも「嫌がらせ」があったから気をつけろ、と同じ「注意喚起」を繰り返した。この注意喚起でもＨＰ等でも、投石の事実は触れられていない。

二十四日に発生した投石について、日本人学校を管轄する永岡桂子文科相が二十九日に会見をしたのも実に奇妙だ。日テレにより投石の事実が報じられたことを受け、反応せざるをえなくなったというのが実情であろう。しかも永岡氏は、「極めて遺憾で憂慮している」と述べただけだ。

日本の閣僚がいくら遺憾、遺憾と発言したところで、邦人保護には何の役にも立たない。遺憾という言葉からは、当事者意識の欠如、できるだけそれにかかわりたくないという忌避感が滲み出る。彼らにとって重要なのは邦人保護や日本の子供たちの安全ではなく、事を荒立てず、中国当局のご機嫌を損ねず、嵐が過ぎ去るのをただじっと待つことなのだろう。

「中国の危険レベルはゼロだ」と言い張る

外務省は海外安全ホームページで、危険・スポット・広域情報というものを公開しているが、中国の危険レベルが最後に更新されたのは六月三十日であり（二〇二三年九月二日現在）、ウイグル自治区とチベット自治区を除き、危険レベルは「0（ゼロ）」だとされている。つまり、中国は全く危険ではない、ということだ。

処理水問題発生以前から、中国ではたびたび邦人が当局に拘束されてきた。嫌疑不明なまま実刑判決を受け、収監されたケースもある。

八月にも五十代の日本人男性が、中国の国家安全にかかわる罪で起訴された。彼は二〇二一年十二月に上海で中国当局に拘束され、二〇二二年六月に逮捕されていた。中国当局は二〇二三年七月、改正反スパイ法を施行している。どのような行為が同法に抵触するかが明確ではなく、邦人の懸念はますます広がっている。それでもなお外務省は、中国の危険レベルはゼロだと言い張る。

処理水問題発生以降は、日本人学校が攻撃されただけでなく、陝西省のすし店で火災が発生し放火の疑いがある、と報じられた他、北京にある日本大使館にはれんが片が投げ込まれた。日本製品の不買運動も起き、日本に対する嫌がらせ電話も数万件を超える。これらを受けてなお危険レベルはゼロ、というのはさすがに無理がある。

翻って他の日本大使館を見るに、二〇二一年八月、在アフガニスタン日本大使館の日本人外交官十二人が、タリバンによる首都カブール制圧の二日後、在留邦人も現地職員も置き去りにしたまま英国軍機でドバイに逃走するという事態が発生した。一カ月ほど前からカブール陥落は近いという情報があったにもかかわらず、岡田隆大使は当時日本に帰国しており、そもそもカブールにはいなかった。彼らには邦人や日本のために尽くす現地職員を守るという気概もなければ、情報収集能力も危機管理能力もないことが露呈した。

失敗に終わった退避作戦

カブール陥落から八日後、外務省は民間機をチャーターして現地職員らを脱出させようとしたが、バス二十七台に分乗させて空港に向かおうとしたところで爆弾テロが発生し、退避作戦は失敗に終わった。その後、派遣した自衛隊機四機でも、救出できたのは日本人一人と米国から要請のあったアフガン人十四人のみだった。日本大使館やＪＩＣＡで働くアフガン人職員やその家族は五百人以上にのぼったが、外務省は誰一人として退避させることはできなかった。米国が自国民と現地職員をあわせて約八万人、英国が約一万五千人、韓国も約三百九十人を退避させたのと比較すると、その差はあまりにも歴然としている。

私は二〇一一年から一五年までエジプトに在留しており、この四年間は慢性的に治安状態が悪かったものの、二〇一三年には私の居住地域でも爆弾テロや銃撃事件が発生するなど治安悪化が極限に達し、私も子供を連れてエジプト国外へと一時退避した。その当時も、外務省が出したエジプトの危険レベルは最高で「レベル３（渡航は止めてください）」であり、

「レベル4（退避してください）」にまで引き上げられることはなかった。一方で、大使館員の家族は早々に国外退避していたと伝え聞く。

大使館や外務省が「邦人保護こそわが任務」と大見得を切りつつ、保身や相手国のご機嫌をうかがうこと、忖度を優先する偽善者だということは、すでにバレている。

処理水問題への対応にもまた、同じ傾向を確認することができる。「邦人保護こそわが任務」という外務省の宣言を真に受けてはならない。外務省の危険レベルがゼロだから大丈夫だなどと信じていては、取り返しのつかないことになりかねない。

自分の命を守るのは自分だ。外務省に重要な判断を委ねてはならない。

第十九章　国際舞台で妄言を吐く岸田総理

満面の笑みでイラン大統領と握手

「私が首相を務めている間はイランに核兵器を持たせない。あらゆる手段をとる」

イスラエルのネタニヤフ首相は二〇二三年九月二十二日、国連総会でこう演説した。

イスラエルを「殲滅（せんめつ）する」と公言して憚（はばか）らないイランはいま、世界で最も新たな核兵器保有に近い国だ。米当局は二〇二三年三月、イランは十二日間で核爆弾一個分の核分裂性物質を製造できるという分析を示した。

イランの核開発を制限することを目的に二〇一五年、イランと独英仏米中露の間で結ばれたのが、いわゆるイラン核合意である。これは、核武装が疑われるイランが核開発の制限を受け入れるかわりに米欧が制裁解除するという内容だったが、イランは核合意の義務に違反し続け、濃縮ウランの備蓄量は合意で認められた十八倍以上の量に達している。兵器級（九〇％濃縮）に近い六〇％濃縮ウランの貯蔵量も顕著に増えているため、イスラエルをはじめとする中東諸国が危機感を強めている。

イランはイスラエルから地理的に離れてはいるものの、イスラエルは周囲をヒズボラやハマスといったイラン「子飼い」のイスラム過激派武装組織に囲まれており、頻繁に無差別テロ攻撃を受け、国民や国土の安全が常時脅（おびや）かされる状況にある。死者が出ることも少なくない。国防はイスラエルにとって死活的重要課題だ。

「もしイランがそれ（核兵器）を持つならば、我々（サウジアラビア）もそれを持たなくてはならない」

これは同じく、イランを国家安全保障上の最大の脅威とみなすサウジのムハンマド・ビン・サルマン皇太子（ＭＢＳ）の、九月に公開された米フォックス・ニュースとのインタビューでの発言である。彼は、核兵器保有は「悪いこと」だが、イランがそれを保有すれば「安全保障上の理由、力の均衡のために、（サウジは）核兵器を保有しなければならない」とも述べている。

サウジが石油依存経済から脱却し、持続可能な国家へと生まれ変わるための改革を主導しているのがＭＢＳだ。海外から投資を呼び込み、中東を世界の新たな中心地にしていくという目標実現の大前提になるのが国家の安全保障である。サウジは一九七九年のイラン・イスラム革命以来、イランから数々の攻撃を受け、イラン「子飼い」の武装組織によるミサイルやドローン攻撃で石油施設を破壊された過去もある。イランに対し、あらゆる場で最大限の牽制（けんせい）をするのは、安全保障上必要不可欠だ。

岸田総理はそのイランのライシ大統領（二〇二四年五月十九日、ヘリコプターの墜落事故で死去）と、国連総会で訪問中のニューヨークで会談し、「イランとの長年にわたる伝統的友好関係に基づき、中東地域の緊張緩和と情勢安定化に向けて外交努力を継続する」云々（うんぬん）と述べた。外務省はホームページに、岸田氏が満面の笑みを浮かべてライシ氏の手を握る写真を掲載した。

とんだ茶番

岸田氏は国連総会の演説で「核軍縮は被爆地広島出身の私のライフワークです」と述べ、「核なき世界」のために三十億円を拠出（きょしゅつ）すると発表したにもかかわらず、いままさに核兵器を保有しようとしているイランとの伝統的友好関係をアピールし、その大統領と笑顔でがっちり握手したわけだ。

これは客観的に見れば、「日本はイランの核保有を容認する」と宣言しているかの如き愚行であり、自己矛盾甚（はなは）だしく、偽善に満ち満ちている。

日本は中国、ロシア、北朝鮮という核武装三カ国に囲まれ、しかもそれらが揃って日本を威嚇しているという点において、イスラエルやサウジに勝るとも劣らない危険な状況下にある。ところが、イスラエルやサウジの首脳とは全く異なり、岸田氏は国民の生命と財産、国土を徹底して守り抜くという決意は微塵も見せない。

岸田氏は国連総会での演説で、「我々が目指すべきは、脆弱な人々も安全・安心に住めるような『人間の尊厳』が守られる世界である」とも述べた。自国民の安全・安心が核武装三カ国によって脅かされている現状を横目に、どこの誰かもわからない「脆弱な人々」の安全・安心を気遣うフリをしているわけだから、とんだ茶番である。

岸田氏の国連総会演説のテーマはどうやら「人間の尊厳」だったらしく、「人間の尊厳」という言葉を十回以上連呼している。

曰く、国際社会が複合的危機に直面し分断を深めるなか、人類全体で語れる共通の言葉として「人間の尊厳」に改めて光を当てることで、国々の体制や価値観の違いを乗り越えることができる、とのこと。

岸田氏は「多様性」という言葉も連呼しているが、連呼しているだけで多様性とはなんたるかについては理解していない可能性が高い。多様性の本質と実態についてわずかでも思索（しさく）を巡らせたことがある人ならば、国際的な舞台で公然と「人間の尊厳」で価値観の違いを乗り越えられるなどという妄言（もうげん）を吐くのは躊躇（ちゅうちょ）するだろう。

世界には様々な価値観を持つ人々がいる。それぞれに異なる文化や伝統、宗教、歴史を持つ人々だ。私はイスラム教の研究者であるが、イスラム教徒もまた独特な価値観を持つ人々である。

彼らはそもそも、自身の価値観が独特だとは全く思っていない。イスラム的価値観こそが世界で唯一正しい普遍的価値観だと信じている。彼らからすれば、「イスラム教徒の価値観は独特である」と解説する私のほうがよほど独特で、なおかつ理解能力に欠けた哀れで愚鈍な人間だということになる。

彼らの価値観の中心には神がある。神が善と決めたものが善であり、悪と決めたものが悪だ。人間が頭で考えて善だの悪だのと判断することには重きがおかれない。人間は神の被造物（ひぞうぶつ）であり、被造物が創造者である神の能力を超えることなどあり得ないからである。

彼らにとって人間の尊厳は、神への信仰とともにある。神を信仰することにより、人間は人間たりうるわけで、信仰なきところに人間の尊厳はありえない。信仰を奪われたり、禁じられたり、あるいは信仰の実践を制限されたり妨げられたりすれば、それは彼らにとって、尊厳を奪われたということになる。

「人間の尊厳」概念に多様性があることを勘案すると、岸田理論はたちまち瓦解(がかい)する。

たとえば、イスラム教は同性愛行為を禁じ、それは死罪に値(あたい)すると規定する。同性愛行為はイスラム教において、人間の尊厳を損ねる重罪だ。一方、岸田政権は今年（二〇二三年）、ＬＧＢＴ理解増進法を成立させた。明らかにこのふたつの価値観は相容(あいい)れない。

イスラム教は、人間の性別についても男女のふたつしかないと定める。男が女の格好をしたり、女が男の格好をしたりすることは禁じられ、男でも女でもない性などというものの存在も絶対的に否定される。これも、「多様な性」なるものを認めよという岸田政権の理念と相反する。

メローニ演説の危機感

日本人のほとんどは死ねば火葬され、最近は無縁墓も増えているが、イスラム教は教義で土葬すべしと定める。

日本にはあらゆるものに神が宿ると信じる伝統があるが、イスラム教は神を唯一神アッラーのみとし、多神教崇拝をとてつもない大罪として敵視する。

「人間の尊厳」なるものに「光を当て」たところで、価値観の違いなど乗り越えられるわけがない。そもそも、価値観なるものを支えるのが信仰や伝統という重厚な基盤だという認識に欠けているからこそ、簡単にその違いを「乗り越えられる」などと口にできるのであろう。

イタリアのメローニ首相は国連総会での演説の冒頭、次のように述べた。

「イタリアを代表してこの国連総会に出席できることを名誉に思います。しかし、この名誉は特権のように軽いものではなく、重い責任です。私たちは複雑な時代、絶え間ない緊急事態と変化のなかに生きており、状況に流された言葉や、これまで実現されたことのない高邁な理念を口にしたり、正しい選択の代わりに安易な選択をしたりしている余裕はありません」

あたかも「人間の尊厳」や「核なき世界」なる高邁な理念を並べ立てることに終始した、岸田演説への当てつけであるかのような文言である。

残念ながら、日本の首相はメローニ氏ではなく岸田氏である。きれい事を並べ立てた岸田氏の演説には、メローニ氏のそれにあるような危機感や切迫感は確認できない。彼のような偽善者を首相にした我々の責任も重い。

第二十章　「全方位嫌われ外交」を展開する岸田政権

日本への敵意を生む場当たり的態度

わが国は米国を唯一の同盟国とし、米国に安全保障を依存している。

わが国はＧ７（主要七カ国）の一員でもあり、特に二〇二三年はその議長国でもあり、五月には広島でＧ７サミットが開催された。採択されたコミュニケは、「全ての国の利益のため、国連憲章を尊重しつつ、法の支配に基づく自由で開かれた国際秩序を堅持し、強化する」「世界のいかなる場所においても、力又は威圧により、平穏に確立された領域の状況を変更しようとするいかなる一方的な試みにも強く反対し、武力の行使による領土の取得は禁止されていることを再確認する」と宣言している。

二〇二三年十月七日、パレスチナ自治区ガザを実効支配するイスラム過激派テロ組織ハマスがイスラエルの民間人を標的に大規模テロ攻撃を開始した。ガザからイスラエルに対して無差別に撃ち込まれたロケット弾は八千発以上に達する。ハマスのテロリストは陸海空から越境してイスラエル領内に侵入し、農村や音楽フェスで民間人大虐殺を行い、死者数は一千二百人を超えた。これはまさに、「力による現状変更の試み」そのものである。

ところがこれに対し、真っ先に非難声明を出して然（しか）るべき日本の岸田政権は、発生から丸一日、何事もなかったかのように沈黙を続けた。
日本以外のＧ７諸国、すなわち米国、英国、ドイツ、イタリア、フランス、カナダは首脳や外相がテロ発生当日に次々と声明を出し、九日にはハマスの蛮行をテロと非難しイスラエルの自衛権行使を支持するという共同声明を出した。

毎日新聞は外務省幹部の話として、「日本に参加の正式な打診はなかった」と報じた。それもそのはずである。その前日、岸田首相がＳＮＳサイトＸ（旧ツイッター）に投稿した声明は以下だ。

「昨日、ハマス等パレスチナ武装勢力が、ガザからイスラエルを攻撃しました。罪のない一般市民に多大な被害が出ており、我が国は、これを強く非難します。（中略）ガザ地区においても多数の死傷者が出ていることを深刻に憂慮しており、全ての当事者に最大限の自制を求めます」

岸田氏はハマスの攻撃をテロと呼ばないことによって、Ｇ７と価値観を共有しない立場を鮮明にした。さらにテロ攻撃にあったイスラエルという主権国家に「自制」、つまり自衛権の行使を控えるよう求めることによって、「法の支配」の原則を蔑ろにしていることを内外に示した。岸田氏がこれまで国際社会に対して声高に叫んできた「法の支配による国際秩序」とか「国際協調」とか「G7の結束の強化」なるものを、岸田氏は自らかなぐり捨てたのだ。

日経新聞や朝日新聞は、岸田政権の対応は「バランス外交」なのであり、米国との歩調を意識しつつも、中東に原油を依存する状況を踏まえ独自路線を探っているのだと擁護する。毎日新聞も、「原油の九割以上を中東に依存する日本は、中東各国と広く信頼関係を築くため全方位外交を展開」と擁護する。

なるほど、中東諸国を刺激するのは得策ではないのでバランスをとるべきだ、というのは妥当で無難な主張にも見える。しかし現実には、米国に国防を依存しつつ、どの陣営からも睨まれず、嫌われず、仲間外れにされずに世界をうまく渡り歩くことなど不可能だ。

自国を一国で守る軍事力も兵力も持たない日本が、中東外交だけ中立的バランス外交を展開するなどと主張するのは、単なるご都合主義の偽善にすぎず、こんなもので他国との信頼関係など築けるわけがない。日本の都合に世界が合わせてくれる、世界は日本の置かれた立場をわかってくれるはずだという思い込みに立脚した岸田外交は、自己中心的にして傲慢かつ夜郎自大だ。

岸田外交は一貫した価値観もなく、バランスをとること自体が目的化しているので、その場その場で主張が二転三転する。この場当たり的態度が日本への他国の信頼を損なわせ、日本を孤立させ、さらには日本への敵意も生んでいる。

当初、岸田政権がハマスの攻撃をテロと呼ばなかったのは、ハマスを軍事支援するイランと、日本が石油を依存する湾岸アラブ産油国への配慮だという。しかし日本はイランから一バレルも石油を買っておらず、日本のタンカーは近年だけで二度、イランから攻撃を受けた。反米国家イランは日本を明確に敵認定しているのだ。

また、イランとアラブ産油国は敵対関係にある。敵対関係にある両者に同時に忖度するため、岸田政権はテロ組織に配慮するという愚行に走った。

G7で「日本排除」の動き

岸田政権はアラブ産油国とイスラエルの関係も読み違えている。日本がオイルショックの煽りを受けた一九七三年の第四次中東戦争当時、両者は対立し戦争状態にあったが、現在は両者の関係が劇的に改善し、日本にとって第二の石油輸入先であるアラブ首長国連邦（UAE）やバーレーンはすでにイスラエルと国交正常化している。第一の石油輸入先であるサウジアラビアも、現在、イスラエルと国交正常化交渉中であることを公に認めている。

これらアラブ産油国は、パレスチナ国家を建設すべきだという「パレスチナの大義」を支持するが、ハマスを支持することはない。彼らにとってもハマスは唾棄すべきテロ組織だからだ。ハマスが「イスラエル殲滅」という目的を果たし、現在イスラエルが存立する場にイスラム国家を建設すれば、アラブ産油国はイランとそのイランの傀儡である「パレスチナ」という名のイスラム国家に挟み撃ちにされる。

だからこそ、サウジとＵＡＥは今回、ハマスのテロを厳しく非難したのだ。岸田政権がアラブ産油国との信頼関係のためにハマスに忖度する一方で、当のアラブ産油国が率先してハマスを非難したことに、岸田政権が世界の動きを恐ろしいほど全く読めていない現実が浮き彫りになる。

しかも岸田政権はハマスの攻撃開始から五日後にやおら、これを「テロ攻撃と呼称することとした」と転向した。米国とイスラエルへの配慮だと報じられている。

しかし、日本政府は意地でも「イスラエルの自衛権行使を支持する」とは認めない。日本政府は「すべての当事者の国際法を踏まえた行動」と「事態の早期沈静化」を求める立場だと繰り返すが、単なるテロ組織であるハマスに国際法を守れと無意味で空虚な呼びかけをすると同時に、イスラエルに自衛権行使を踏みとどまれと呼びかけている点において、日本以外のG7諸国との価値観の違いが際立つ。

二十二日にもG7のうち日本を除く六カ国が電話協議し、イスラエルの自衛権行使の支持やガザの民間人保護などを求める共同声明を発表した。この場にも日本は招かれなかった。日本はすでに六カ国から、価値観を共有しない、連携できない国だと認定されている。

メディアが岸田外交を擁護する理由

岸田政権のバランス外交の迷走は続く。十八日には、上川外相が「ガザ市にあるアル・アハリ病院が攻撃され、多数の死傷者が発生しました。罪のない一般市民に多大な被害が発生したことに、強い憤りを覚えます」という談話を発表し、暗にイスラエルを非難した。しかし、実はこれはハマスの発表の受け売りであり、病院が「攻撃」されたという証拠も、多数の死傷者が発生したという証拠もない。

そうかと思えば、三十一日には岸田政権はハマスの幹部ら九人に制裁を科すと発表した。実はこの九人は、米国のバイデン政権が十月十八日に制裁を科したハマス関係者と同一であり、これに追従することで米国に忖度したことが窺える。

このニュースを報じたアラビア語ニュースチャンネルのXポストには、「日本はアメリカの属国」「原爆が落とされた理由がわかった」「日本なんていう国は存在しなくていい」といった日本を罵倒（ばとう）するコメントが連なった。日本は散々ハマスに忖度してきたはずなのに、ここへきてハマスやハマスのシンパにも確実に敵認定されたわけだ。

岸田氏は自分の得意分野は外交だと自負しているらしい。メディアも「バランス外交」とか「全方位外交」と呼んでこれを擁護する。しかし、岸田外交の実相は「全方位嫌われ外交」だ。岸田氏が外交をすればするほど、日本は孤立し弱体化する。だからこそ、メディアは岸田外交を擁護しているのである。

第二十一章　日本を守る「正義のヒーロー」

「ファシズムと戦うため」

イスラム過激派テロ組織ハマスがイスラエルへの大規模テロ攻撃を開始した二〇二三年十月七日以降、ＳＮＳサイトXにやおら大量のポストを投稿し始めた中東「専門家」がいる。東京大学先端科学技術研究センター教授の池内恵（さとし）氏だ。

日本メディアも中東情勢について連日報道するなか、中東の「専門家」が積極的に情報発信するのは、日本社会にとって大いに有益であるように思われる。ところが、池内氏のポストはまるで頓珍漢（とんちんかん）だ。

池内氏は十一月十九日、「インターネットイキリおじさんの相手するのは、先生の人生の貴重な時間の無駄だと思いまする」というコメントに、次のようなリプライをした。

〈ここは正念場だと思っています。ファシズムがどうやって台頭したか。歴史から学べば、ここで醜（みにく）いものから目を逸（そ）らすことが後でどれほどの惨禍をもたらすか分かります〉

十一月十八日にはこうポストした。

〈これを適切に理解して対処して受け流すことが、民主主義と自由な社会を維持するコストなのです。右翼の街宣車と同じで、真正面から向き合う必要はありませんが、一定の警

察司法の抑えを効かせながら、社会と制度を守っていく必要があります〉

なるほど、池内氏が連日連夜、Xに大量の投稿をするのはファシズムと戦うためであり、彼の戦いによって民主主義と自由社会は維持され、社会と制度は守られているらしい。いや、事実はどうあれ、彼自身はそう自負しているようなのだ。

言うまでもなく、日本国民の多くは池内氏の存在自体を知らない。ところが池内氏の脳内世界では、自分がXにポストし続けないと日本の民主主義は維持されないということになっている。我々が今日も民主主義を享受できているのは池内氏の大量ポストのおかげらしい。

実際、池内氏が代表を務めるシンクタンク「ROLES」のメンバーでもあり、ネット番組「国際政治チャンネル」でも頻繁に共演している慶應大学教授の細谷雄一氏は、池内氏の「正念場」投稿を引用して次のようにポストした。

〈日本がおかしな方向へと転がり落ちぬよう、池内さんの言論界における矜持は貴重。戦前の日本にはそのような矜持がおそらく足りなかったのだろうと思います。多くの民主主義国ではすでにポピュリズムなどで民主主義が、空洞化、分極化しています。日本も正念場〉

なるほど、池内氏のXへの大量ポストこそが日本の民主主義をポピュリズムから救う、「日本がおかしな方向へと転がり落ちぬよう」身を挺して止めているのが池内氏であり、いままさに日本はその「正念場」を迎えているらしい。まるで、世界征服を狙い日本の幼稚園児を襲うショッカーと人知れず戦い、世界を救う仮面ライダーの如き「正義のヒーロー」である。

権威を笠にきて異論封殺

だが、池内氏が戦っている相手はショッカーではない。日本保守党と私、飯山陽だ。しかも本人は戦っている気になっているようだが、実態は単なる誹謗（ひぼう）中傷とレッテル貼りである。

池内氏は日本保守党について、「学歴コンプレックスが核になっている」「幸福の科学の後継」であり、「新興宗教っぽい」と解説し、「限界保守」「ファシズム」「極右」「極端」などと形容し、党の設立者の一人である有本香氏を「ウェブや街頭でおかしなことを口走る人」と中傷し、党員のことは「ウェブの変質者集団」「筋の悪い人たち」と貶（おとし）め、仕舞いにはXに、党首の百田尚樹氏がフォロワーを使って彼を自殺に追い込もうとしていると決めつけるポストを投稿した。

Xという公共の場で、設立まもない政治団体である日本保守党と五万人を超えるその党員を繰り返し侮辱することを「ファシズムとの戦い」と位置付け、自分はそれによって民主主義を守っていると自負する言説は偽善と呼ぶのも憚られる。

そもそもファシズムとは何か。意味曖昧なまま、気に入らない他者を中傷するための侮蔑語としてファシズムなる言葉を軽々に使う彼自身が、東京大学という日本の最高学府の教授として体制派に与し、外務省から補助金をもらい、自民党の勉強会で議員相手に「レクチャー」しているというのだから聞いて呆れる。

権威を笠にきて異論を封じ込め、言論統制しようとする彼にこそ、ファシズムの名は相応しい。

私、飯山陽に対しても「狂乱ユーチューバー」や「扇動ユーチューバー」「虚言癖拗らせたインフルエンサー」「異常」「異様」「おかしくなった」等のレッテルを貼り、「政治も外交も全くわかっていない」「イスラエルについては全く知らない」「本当に政治体制とか政党政治とか連立政権とか分かってないでしょう。それは昔からそう」と無知蒙昧だと決めつけた。

私は二〇〇六年に東京大学大学院の博士課程を修了し、それ以降、東京女子大学、上智大学、東海大学、明治学院大学、千葉大学などでイスラム教や中東情勢について教鞭をとりつつ、二〇〇九年には東京大学から博士号を授与され、二〇二二年からは麗澤大学の客員教授でもある。

モロッコに国費留学し、エジプトで働き、大学で講義を行う傍らアラビア語の通訳も務め、新聞や雑誌に連載を持ち、本を出版し、講演もしている。

一方、その私を研究者や学者としては断固認めずに見下す池内氏自身は、博士号を持っていない。博士号取得者は英語圏でも中東地域でも敬意を表され、Ｄｒ．（ドクター）の称号で呼ばれる。博士号を持たない池内氏に、その扱いは適用されない。

その彼が、他者を「学歴コンプレックス」云々とコケにしているわけだ。自身の抱えるどうしようもないコンプレックスを他者のなかに勝手に見出し、そのコンプレックスを持っているのは自分ではなく他者のほうなのだと思い込むことで精神的な安定を得ようとする、心理学でいう「投影」の典型にも見える。

彼の縁は、自分が東京大学の教授であるということと、「ＲＯＬＥＳ」というシンクタンクをつくり、外務省から補助金を得ているところにあるらしい。

十一月十八日には、こうポストしている。

〈扇動ユーチューバーのために、せっかく日本に立ち上がった外交・安全保障シンクタンクを潰(つぶ)すわけにはいかないんですよ〉

〈このような人たちに、私が責任を持って立ち上げ運用し、他のシンクタンクと競争して、広く公開された公募に応じて高い評価を受け、さらに大きな規模で採択を得た事業を侮辱されることは許し難い〉

レッテル貼りして私を見下しつつも私を脅威と認定する一因はおそらく、私が日本の外務省の中東政策や岸田政権の中東外交を批判しているところにある。

中東から非難の声が次々と

岸田首相はハマスが大量虐殺テロを開始した翌日、テロ攻撃で一千二百人以上を殺され、二百人以上を拉致(らち)されたイスラエルに自制を求める声明を出し、このなかでハマスの攻撃をテロと呼ぶことを回避した。

池内氏はこの岸田氏のバランス外交について十月十一日、朝日新聞で「日本としては全面的にイスラエルの報復を支援するとは言いにくい。現実的かつ適切な判断だ」と評価した。
しかし池内氏の評価を裏切るかのように、中東からは岸田外交を非難する声が次々と上がった。十一月十九日には日本郵船の運航する貨物船がイエメン沖でイランの代理テロ組織フーシ派に攻撃、拿捕(だほ)され、二十六日には同じくイエメン沖で自衛隊の護衛艦の十八キロ先に弾道ミサイルが撃ち込まれた。
岸田政権のバランス外交は全方位嫌われ外交だ。外務省から補助金をもらう池内氏のような中東「専門家」が中東外交の誤りを正さず、「現実的かつ適切」などという見当違いなお墨付きを与えている構造自体が、日本衰退の元凶のひとつと言っていい。
池内氏とともに、日本保守党と私を中傷する投稿をXに連投している東京外国語大学大学院教授の篠田英朗氏は十二月四日、Xにこうポストした。
〈私が池内先生の行動に公益性を感じて支持している理由
扇動Youtuber＋「保守」極右政党の政治運動＝イスラエル絶対擁護＝反イスラム＝国内の外国人排斥＝異論を持つ者の排撃⇒自由主義陣営の衰退＝日本の衰退〉
なるほど、日本衰退の背後には、たしかに偽善者の跋扈(ばっこ)がありそうだ。

第二十二章　外務省補助金をもらう人

一日に四百二十三回のポスト

日本国政府は様々な機関に、いろいろな目的で補助金を交付している。

外務省が交付する補助金のひとつに、外交・安全保障調査研究事業費補助金なるものがある。これについて、外務省は以下のように説明している。

〈外交・安全保障に関する我が国調査研究機関（シンクタンク）の活動を支援し、同調査機関の情報収集・分析・発信・政策提案能力を高め、右を通じて日本の総合的外交力の強化を促進し、もって日本の国益の一層の増進を図ることを目的とする〉

二〇二三年度、同補助金が交付された事業は十三あり、うち三つは東京大学先端科学技術研究センター（先端研）が得ている。それぞれが「三年事業」とされており、三年間上限額を交付された場合、総額は六億三千八百万円を超える。

外務省は補助金交付先を先端研と報告しているものの、東大ではこれを取っているのは先端研のなかに開設されたROLESなるシンクタンクだとされている。ROLESでは外務省補助金の対象条件を満たせないので、先端研として応募したということか。いささか奇妙だ。

このＲＯＬＥＳの代表者が、先端研教授の池内恵氏である。

池内氏は前章でも紹介したように、日本を代表する中東研究者である。二〇二三年十月七日にイスラム過激派テロ組織ハマスがイスラエルに大規模テロ攻撃を仕掛けて以来、池内氏はＸに大量のポストを投稿し続けている。十一月二十日から十二月十九日までの一カ月間、同氏は一日平均百五十四回のポストをし、最も多かった十一月二十八日には、その数はなんと一日四百二十三回に上った。

この最多ポストを記録した翌日、池内氏はＸで私のアカウントをブロックした。その後も、私や日本保守党に対する悪口を書き込み続けている。

読者のなかには、池内氏が個人アカウントで飯山陽の悪口を書き込みまくることと、池内氏が三年で六億円以上の外務省補助金を交付されていることとは無関係だろうと思われる方もいるかもしれない。ところが、これは無関係ではないのだ。

当該補助金の交付を受けた事業者は、外務省が公開している評価要綱に従って事業の中間評価及び事後評価を受けることになっている。その要綱には「機動的かつタイムリーな国内外への発信」という項目があり、そこには「補助事業者・研究者個人によるインターネット、ＳＮＳ等による広報やセミナー・シンポジウムの実施・参加等を通じ、日本の主張・視点の国際社会への発信が機動的・タイムリーかつ積極的になされたか。その結果として国際世論の形成に参画することができたか」という評価基準、および「補助事業者・研究者個人によるインターネット、SNS等による広報やセミナー・シンポジウムの実施・参加等を通じ、国民の外交・安全保障に関する理解増進に取り組んだか。また、その反響があったか」という評価基準が示されている。

つまり、池内氏個人のXでの発信も、補助金事業の評価対象に含まれているのだ。

高齢者をバカ扱い

では、池内氏の一日平均百五十四回にも上るポストの内容が、上記の評価基準を満たしているかどうかについて検証してみよう。

池内氏のポストの大半は、英語のポストをそのままリポストしたものである。そこには日本語訳もなければ、池内氏自身による解説も評価もほとんど記されていない。これは「日本の主張・視点の国際社会への発信」とは言えず、「国際世論の形成に参画」や「国民の外交・安全保障に関する理解増進」にも全く貢献していない。

また池内氏が自ら書き込んだポストのなかには、相変わらず私、飯山陽のことを「異常な中傷ユーチューバー」だの、「情動不安定な色ボケ老人を誹謗中傷で扇動しているユーチューバー」だのとバカにし罵倒するものが多い。飯山陽に異常だの、色ボケ老人をたぶらかしているだのとレッテル貼りをすることが、「日本の主張・視点の国際社会への発信」や「国民の外交・安全保障に関する理解増進」にどう貢献するのか、知能の低い私にはどうにも理解不能だ。

池内氏は高齢者をバカにするポストも量産している。既出の「情動不安定な色ボケ老人」は文脈的に明らかにジャーナリストの長谷川幸洋氏を指しており、池内氏はこれ以前にも、長谷川氏のことをシンクタンクという意味もよくわかっていない云々と揶揄していた。

十二月八日には、「今回のウェブ集団リンチは高齢層が主要な参加者であることが特徴的」と投稿し、やおら自分は高齢者に攻撃されていると被害者ポジションをとった。高齢者を「認知のおぼつかない層」等と見下し、高齢者のＳＮＳ使用は危険なのでチャイルドロック的なものをかけるべきだ、と提唱してもいる。

また、私が寄稿している月刊誌についても、「怒りっぽい老人のための雑誌」云々と罵倒している。飯山陽の記事を掲載する雑誌は「老人雑誌」であり、飯山陽と対談する年長者は「色ボケ老人」だというのが、池内氏の「論評」だ。年齢差別、性差別甚だしい。

同氏は日本人口の二八％以上を占める高齢者をまとめて敵認定したかと思いきや、十二月二十五日のクリスマスには「いやー本当に、この問題、どこまで掘っても高齢者しか出てこない。今の時代に問題となる高齢者は団塊世代ではなく、１９５８－65年生まれのバブル世代が年取って時間持て余している。勉強しなかった世代だから、とにかく言っていることの次元が低い」とバブル世代まで敵認定し、見下した。

六五年より前に生まれた人々をまとめてバカ、ボケ扱いしている池内氏はどれだけ若いのかといえば、彼自身一九七三年生まれの五十歳であり、客観的に見れば立派な初老である。年寄りを邪魔者扱いしても笑って許される年齢は、とうに過ぎている。

飯山陽や高齢者をバカにする投稿を量産することが「国益の増進」にどう役立っているのか、私にはやはりわからない。

お仲間のための活動報告

視点をかえ、補助金事業を行っているＲＯＬＥＳ本体の活動実態を見てみよう。ＲＯＬＥＳホームページの「ニュース」項目には、活動実績等最新情報が掲載されているが、そのほとんどはＲＯＬＥＳメンバーのメディア出演情報やセミナー情報、有料の会員誌への寄稿、新たなメンバーの着任報告で占められている。ＲＯＬＥＳの YouTube チャンネルは二〇二四年一月六日現在登録者数八千百七十人で、一カ月前に更新された最新動画の視聴回数は九百三十五回だ。

ＲＯＬＥＳホームページには、外交や安全保障についての基礎情報、最新のウクライナ情勢やイスラエル情勢についての分析、最新の世界情勢を受けての日本外交の課題等、一般国民の利益に資するような情報はほとんど掲載されていない。どこまでいってもお仲間の、お仲間による、お仲間のための活動報告ばかりだ。

二〇二四年最初のＲＯＬＥＳニュースは「【着任】国末憲人特任教授」であり、「二〇二四年一月一日付で、国末憲人氏（前・朝日新聞論説委員）が、東京大学先端科学技術研究センター・グローバルセキュリティ・宗教分野の特任教授に就任しました」とある。「特任」とは特定プロジェクトの任期付き職務であることを示す場合が多く、ＲＯＬＥＳは国末氏を含め十人以上の「特任」者を雇用している。外務省補助金は人件費も経費として認めている。

ＲＯＬＥＳは二〇二二年度にも、外交・安全保障調査研究事業費補助金を交付されている。外務省のホームページで公開されているその実績報告書には、十三頁から六十四頁まで「事業の実施状況・成果」が記されており、四十頁までは会合やセミナーの実施状況、四十一頁から五十七頁まではROLESメンバーの新聞やテレビ出演情報がひたすら羅列されている。

メディアへの露出は補助金事業の成果として認められている。外務省も、補助金を交付した東大教授が外務省方針にお墨付きを与え、それを「正しい」ものとしてメディアで広めてくれれば都合がいいからだ。そして、そのメディアの人間がROLESに「特任教授」として「就職」した事例もすでにある。

東大、メディア、外務省の公金を利用した偽善の相互依存トライアングルが、すでに構築されているのかもしれない。

第二十三章　「人道支援」の闇

支援金がテロ資金に

日本政府はしばしば、外国に対し「人道支援」なるものを行っている。

人道支援について外務省は、「緊急事態またはその直後における、人命救助、苦痛の軽減、人間の尊厳の維持及び保護のための支援」と定義し、それは「我が国の外交の柱の一つである『人間の安全保障』の確保のための具体的な取組の一つです」と説明している。

二〇二三年十月七日、パレスチナ自治区ガザを実効支配するイスラム過激派テロ組織ハマスがイスラエルに対する残虐極まりない無差別テロ攻撃を実行し、イスラエルがガザでのハマス掃討作戦を開始した。翌十一月、上川（かみかわ）外相はパレスチナ自治政府外相と会談し、「ガザ地区における極めて深刻な人道状況、とりわけ未来ある子供や女性・高齢者が被害に遭っている。ガザ地区の人々に一日も早く必要な支援を届けることが目下の優先課題だ」と述べ、パレスチナに対して約百億円の追加的人道支援を行うと表明した。

ガザを支配しているのはパレスチナ自治政府ではなく、ハマスである。にもかかわらず、パレスチナ自治政府に追加支援を約束するという愚行に及んだのは、それが「日本はパレスチナ人道支援をしている」というパフォーマンスになるからだ。

要するに偽善である。しかもこれは、単に偽善であるだけでなく、テロ支援でもあるという問題を孕（はら）んでいる。

日本はこれまでもパレスチナ支援に大金を注ぎ込んできた。日本政府は二〇二三年六月、過去三十年間に約三千二百億円のパレスチナ支援を行ってきたと発表している。このなかにはガザ支援も含まれており、ガザ支援は二〇二二年だけで約三十一億円に達する。

ガザ支援の多くは国連パレスチナ難民救済事業機関（ＵＮＲＷＡ）を通して実施されており、日本のＵＮＲＷＡへの支援は一九五三年からこれまでに総額約一千五百億円にのぼる。日本は年間拠出（きょしゅつ）金額でも二〇二〇年、二〇二一年は連続で世界第五位となっており、世界有数のＵＮＲＷＡ支援国であるのは明らかだ。

日本では「国連」と名のつくものの全てが崇（あが）められ、絶対正義だと勘違いされがちだが、ＵＮＲＷＡは問題だらけの組織である。元国連大使であり米大統領選の共和党指名候補の一人でもあったニッキー・ヘイリー氏は二〇二一年、「ＵＮＲＷＡは全ての国連機関のなかで最も腐敗している」と批判した。

最も深刻なのは、ＵＮＲＷＡにハマスが入り込み、実質的にハマスがＵＮＲＷＡを支配し、世界のＵＮＲＷＡ支援金がハマスのテロ資金になっているという問題だ。

一月末には少なくとも十二人のＵＮＲＷＡ職員が十月七日のテロに参加したことが判明し、ＵＮＲＷＡの最大の支援国であるアメリカが拠出金の一時停止を発表、イギリスやドイツ、フランスなどもこれに倣い、日本はＧ７諸国のなかでは最後に拠出金停止を決定した。

「専門家」の嘘、嘘、嘘

ＵＮＲＷＡ職員は世界に三万人近くおり、うち一万二千人がガザで雇用されているが、その一割にあたる約一千二百人はハマスかイスラム聖戦というイスラム過激派テロ組織のメンバーであり、半数にあたる約六千人は家族にテロ組織メンバーがいることも報じられた。

ＵＮＲＷＡのテロ関与問題は二十年以上前から告発されてきた。ＵＮＲＷＡ職員がテロを賛美し、ＵＮＲＷＡの学校でテロリストをロールモデルと称える教科書が採用され、教師が子供にユダヤ人を憎み殺すよう教えていること、ＵＮＲＷＡ施設がハマスの武器庫やロケット弾発射台として利用され、地下にはテロ・トンネルが作られてきたことは日本政府も知っていた。ユダヤ人団体サイモン・ヴィーゼンタール・センターは、「我々は何年も前からこの問題について日本の外務省に警告してきた」と述べている。外務省はこれを無視してきたわけだ。

日本は世界有数のＵＮＲＷＡ支援国であるにもかかわらず、過去にこの問題がメディアや国会で取り上げられたことはほとんどない。研究者のなかでもこれを告発してきたのはおそらく、私以外には存在しない。だからこそ、パレスチナへの「人道支援」は問題視されることも見直されることもなく、外務省主導により、ひたすら日本の偽善パフォーマンスの道具として利用され続けてきたのだ。

さらなる問題は、日本の国際政治学者や中東研究者といった「専門家」たちが、一斉にＵＮＲＷＡへの拠出金停止を非難したことだ。

東京大学教授・池内恵氏は「ＵＮＲＷＡはイスラエルと国際社会にとって不可欠」「ＵＮＲＷＡを通じてパレスチナ難民を支援する以外に代替案はない」と訴え、東京大学教授・鈴木一人氏は「ＵＮＲＷＡがなくなれば（略）援助物資は届かない」と断定し、慶應大学教授・錦田愛子氏は「その（ＵＮＲＷＡの）活動を止めることは、ガザの人たちに『死ね』と言っているに等しい」と非難した。

しかし、これらは嘘だ。ＵＮＲＷＡというのは「住む家もなく、食べ物にも事欠くかわいそうなパレスチナ難民に、生きるのに最低限必要な水や食料を配布している国連組織」というイメージを持っている人が多いかもしれないが、ＵＮＲＷＡの主たる業務は学校運営であり、予算の八割は人件費に割かれている。そのほとんどが教師であり、だからこそ十月七日のテロに参加していたのも七人は教師だ。

そもそも、ガザには切迫した飢餓の危機などない。毎日、大量の水や食料を積み込んだトラックがガザに入っており、その台数は日によっては二百台を超える。アラブ諸国は物資を直接支援しており、ＵＮＲＷＡ以外にもガザで支援活動をする国際団体は複数ある。ＷＨＯ報道官はＵＮＲＷＡの業務を代行できると述べ、ニュージーランドはガザ支援のためＵＮＩＣＥＦ（国連児童基金）とＷＦＰ（国連世界食糧計画）への追加の拠出金を決定した。日本政府も「他の国際機関等への支援」を約束している。

我々の税金が何に使われているのか

ＵＮＲＷＡは必要不可欠ではなく、その代替もいくらでもある。ところが日本の「専門家」たちは、ＵＮＲＷＡは必要不可欠で代替はなく、ＵＮＲＷＡがなくなるとガザに支援は届かず人々は死ぬと言って脅す。そして、マスコミがこれをニュースで大きく報じる。

同じような主張で、日米などのＵＮＲＷＡ拠出金停止を非難しているのは、中国、ロシア、そしてイランだ。

イランはハマスに武器とカネをあたえ、ハマスの戦闘員に武装訓練を施してきた「ボス」である。ロシアと中国も、ハマスを軍事的あるいは外交的に支援している。こうしたハマス応援団の独裁国家が、ハマスの支配してきたＵＮＲＷＡを温存し、ＵＮＲＷＡへのカネの流れを止めるまいと懸命になるのは当然だ。

しかし自由と民主主義を奉じる日本で、そうした価値を信じ教育や研究に携わっているはずの「リベラリスト」たる大学教授らが、こぞってＵＮＲＷＡ擁護に走る現象は異様である。ＵＮＲＷＡ職員がテロリストだったということはつまり、我々日本人は税金でテロリストを養い、テロリストが赤ちゃんを丸焼きにしたり、子供の手足を切断したり、妊婦のお腹を切り裂いたり、女性をレイプしたり、民間人を斬首したりするのを支援してきたことを意味する。ＵＮＲＷＡ擁護はすなわち、こうした蛮行を擁護し是認することに他ならない。

さらに深刻なのは、こうした大学教授ら「専門家」に多額の公金が交付されている件だ。池内氏が代表を務め、鈴木氏もその一員であるところのＲＯＬＥＳという「シンクタンク」には、三年間で六億円以上の補助金が外務省から交付されることになっており、錦田氏にはここ十五年以上、毎年のように科研費が文科省から交付されている。

この現実は日本の外交、アカデミアの歪みの象徴だ。
外務省はUNRWAのラザリニ事務局長に対し、幹部に日本人を登用するよう促している。昨年来日した同氏は、二〇二四年にはアジア初のUNRWA拠点を日本に開設すると発表していた。外務省にはUNRWA支援を続けたい確かな理由がある。

人道支援という「人命救助、苦痛の軽減、人間の尊厳の維持及び保護のための支援」が、人命を奪い、苦痛を生み出し、人間の尊厳を著しく毀損するテロに転用されていいはずがない。これを自らの利権拡大に利用する人々の実態は、暴かれて然るべきだ。

第二十四章　日本人の命が脅かされている現実

日本人が差別加害者にされている

日本政府は日本人に「人権教育」を施したり、人権について啓発したりすることに熱心だ。

岸田総理は二〇二四年二月五日、「共生社会と人権に関するシンポジウム」にビデオメッセージを寄せ、そのなかで、日本では外国人が「不当な差別を受ける事案を耳にすることも少なくありません」「不当な差別的言動を受ける事案や、偏見等により放火や名誉毀損等の犯罪被害にまで遭う事案が発生」云々と述べ、「マイノリティの方々に対して不当な差別的取扱いを行ったり、不当な差別的言動を行ったりすることは、当然、許されるものではありません」と宣言した。

この「岸田談話」で差別の被害者がもっぱらマイノリティ（少数派）に限定されていることからは、差別の加害者はマジョリティ（多数派）たる日本人だと設定されていることがわかる。その逆は想定されていない。日本では、日本人だけが差別主義者だということになっているのだ。

日本国憲法第十四条は「すべて国民は、法の下に平等であって、人種、信条、性別、社会的身分又は門地により、政治的、経済的又は社会的関係において、差別されない」と定める。憲法に立脚するならば、わが国ではあらゆる差別が許されないはずだ。外国人差別は許されないと叫ぶ者が日本人差別を見過ごすのは、作為的な偽善である。

このダブルスタンダードは、二〇一六年に成立・施行された「本邦外出身者に対する不当な差別的言動の解消に向けた取組の推進に関する法律」、いわゆる「ヘイトスピーチ解消法」にも見てとれる。法律の名前からしてそもそも、差別的言動の被害者は本邦外出身者、つまり外国人に限定されており、日本人に対する差別的言動は当該法の適用対象にはならない。

同法前文には、「我が国においては、近年、本邦の域外にある国又は地域の出身であることを理由として、適法に居住するその出身者又はその子孫を、我が国の地域社会から排除することを煽動する不当な差別的言動が行われ、その出身者又はその子孫が多大な苦痛を強いられるとともに、当該地域社会に深刻な亀裂を生じさせている」とある。

恐ろしいことに、日本人はいつのまにか日本における差別加害者だということにされていたのだ。

こうした法律や岸田談話には、アメリカで生まれた批判的人種理論（CRT）の影響が色濃く表れている。CRTは、人種というのは科学的には存在せず、白人の特権と優位性を維持するために作られた社会的構築物にすぎないと考える。そして人種差別は法制度や社会制度に組み込まれ、いたるところに存在して有色者を苦しめ足を引っ張っているにもかかわらず、白人はそれに気づかないのが常であり、それがまさに白人の特権なのだと主張する。

CRTは、白人を日本人に、有色者を外国人に変えた形ですでに日本に輸入されており、大学をはじめとするアカデミアやテレビ、新聞などのメディアがそれを広めるべく盛んに活動している。

社会変革を目指す運動

二〇二一年七月には東京大学大学院教授・林香里（かおり）氏が朝日新聞で、日本人は「特権もつ多数派」と自覚せよと主張した。二〇二二年八月には上智大学教授・出口（でぐち）真紀子氏がNHKの「ハートネットTV」という番組に出演し、日本人はマジョリティ（多数派）であるだけで「特権」すなわち「労なくして得られる優位性」を持ち、無自覚にマイノリティ（少数派）を差別している、だから日本人はその自覚を持ち、罪悪感を抱き、社会の有力ポジシヨンに外国人を推薦するなど「特権」を活用して社会を変えていかなければならないと主張した。

これらの主張から明らかなように、ＣＲＴというのは単なる理論ではなく、社会変革を目指すイデオロギーであり運動だ。いまある法制度や社会制度に差別が組み込まれていることを認めれば、それは悪いことなので、自ずとその全てを変革しなければならないということになる。ＣＲＴ信奉者は、権力者と非権力者、抑圧者と被抑圧者の「階級」を逆転させることを目論む。

事実、私たちの社会はＣＲＴの影響によりすでに変わりつつある。

二〇二四年二月十八日に埼玉県のＪＲ蕨駅近くで「日の丸街宣倶楽部」なる団体が「自爆テロを支援するクルド協会は日本に要らない！」というデモを開催したところ、クルド人らが集結して指笛を鳴らしたり、中指を立てるサインをしたり、拡声器を使って日本人を侮辱するといった騒ぎが起こり、この映像がＳＮＳサイトＸで拡散された。

神奈川新聞は「日の丸街宣倶楽部」を「外国人差別を各地で繰り返す卑劣なレイシスト集団」と呼び、彼らがやったのは「ヘイトデモ」であって、彼らは「駅周辺の川口市や蕨市に多く暮らすクルド人を『出ていけ』と排斥した」、これは「ヘイトスピーチ解消法が『許されない』と定める明白な差別的言動」だと非難した。

共同通信も、これに関連し「日本の文化・しきたりを理解できない外国の方は母国にお帰りください」とXに投稿した自民党の若林洋平参院議員について、クルド人への「憎悪をあおった」とレッテル貼りし、当該投稿にヘイトスピーチの烙印を押した。

日本人に対しては無法状態

一方で神奈川新聞も共同通信も、クルド人側の日本人に対する侮蔑的言動は全く問題にしていない。というのもヘイトスピーチ解消法第二条は、ヘイトスピーチを「本邦外出身者に対する不当な差別的言動」に限定しているからである。

同法可決成立時の衆議院の附帯決議には、「本法の趣旨、日本国憲法及びあらゆる形態の人種差別の撤廃に関する国際条約の精神に照らし、第二条が規定する『本邦外出身者に対する不当な差別的言動』以外のものであれば、いかなる差別的言動であっても許されるとの理解は誤りであるとの基本的認識の下、適切に対処すること」とある。

しかし、これはあくまで附帯決議であって法律そのものではない。だから日本では、街頭で外国人が拡声器を使い日本人についてどんなに酷いことを言おうと何のお咎めもないのだ。

岸田談話には、外国人について「日々、恐怖を感じながら生活することを余儀なくされている方々もおられます」と慮る一文もある。

しかし既出の蕨駅に隣接する埼玉県川口市には、これとは正反対の現実がある。

令和六年一月一日現在、埼玉県川口市の人口は六十万六千三百十五人であり、うち外国人住民は四万三千百二十八人と市人口の七・一%を占め、その割合は徐々に増えている。川口市には、この他にも居住している外国人がいる。彼らの多くは中東の国トルコ出身のクルド人であり、その数は数百人とも数千人とも見られている。

なぜ「見られている」と書いたかというと、正確な人数が不明だからだ。彼らの多くは難民申請をし、審査結果が出るのを待っている間、一定の条件下に身柄拘束を解かれた仮放免者である。入管は、どの仮放免者がどの自治体に居住しているかについて当該自治体には知らせない。川口市にはいったい何人の仮放免者が住んでいるのか、行政すら正確に把握できないのが実情だ。

川口市ではクルド人がゴミを不法投棄したり、公共物を破壊したり、車を暴走させて危険運転をしたり、物損・人身事故を起こしたり、女性を執拗にナンパしたり、夜中に集まって大騒ぎするといった違法・触法行為を起こしているのに加え、殺人未遂や威力業務妨害、公務執行妨害、凶器準備集合、脅迫、住居侵入、強盗致傷など様々な容疑で逮捕されている。被害を受けているのはもっぱら川口の住民であり、そのほとんどは日本人だ。

二〇二三年七月には川口医療センター周辺にクルド人ら百人が殺到し、救急の受け入れが約五時間半にわたって停止する事態が発生、十月にはジャーナリスト石井孝明氏が「殺す」と脅(おど)された。ここには、日本人の命が脅(おびや)かされている現実がある。

「日々、恐怖を感じながら生活することを余儀なくされている」のは、日本人のほうだ。

「差別は許されない」と言いながら、その差別を外国人などマイノリティ（少数派）に対するものに限定し、日本人に対してはどのような暴言も蛮行も許容される社会を作り出そうと目論む偽善者に騙されてはならない。

第二十五章　カネと欲にまみれている

口先だけの大見得男

国民のなかで政治不信が高まっている。

二〇二四年二月に行われた読売新聞の全国世論調査では、派閥解散が自民党の信頼回復につながると思うかという質問に対し、「思わない」とする回答が七六％、自民党の派閥の幹部らはいわゆる裏金問題について国民に十分説明していると思うかという質問に対し、「思わない」とする回答が九三％にのぼった。

三月の朝日新聞の世論調査でも、岸田首相の裏金事件への対応を「評価しない」とする回答が八一％で、「評価する」の一三％を大きく上回った。

ドイツの学者マックス・ウェーバーは、広義の政治を「導く」活動だと定義している。政治不信の高まりとはすなわち、国民が自民党政権に対し、あなたたちには日本国を導く力も資格もないのではないか、という憤り（いきどお）を募らせていることを意味する。

ところが、その政治不信の元凶であるところの岸田首相と自民党は、国民の自らに対する政治不信を客観的に認識することすらできないようだ。

岸田首相や世耕弘成（せこうひろしげ）前参院幹事長、下村博文元文部科学相といった派閥の幹部らは、衆参の政治倫理審査会に出席し、反省だの信頼回復だのという言葉を口にしつつ、派閥の会計には一切関与していない、パーティー券収入の還流自体知らなかった、政治資金収支報告書への不記載も知らなかった、違法性の認識もなかった云々と、知らぬ存ぜぬの一点張りを貫いた。

自民党の森山裕総務会長は、こうした幹部らは「嫌疑なしで真っ白だ」、政治責任を果たしたと強調した。東京地検特捜部の捜査で立件されなかったから潔白だ、と言いたいらしい。

厚顔無恥も甚だしい。一般国民との感覚のあまりのズレに、驚き呆れて顎がはずれそうになる。

岸田首相は三月、自民党の全国幹事長会議で「命懸けで党再生に努力していく」と大袈裟に宣言し、自民党大会でも「自民党は変わらなければならない。先頭に立って党改革、政治改革を断行する」と決意を語ったが、自らが十年にわたり長をつとめた岸田派でも、約三千万円の収支報告書への虚偽記載が発覚し、元会計責任者が立件されている問題については、派閥を解散することで自らの責任を有耶無耶にした。

岸田氏は裏金問題で安倍派の閣僚、副大臣九人を「更迭」しておきながら、岸田派の問題については裏金ではなく「不記載」だと言い張り、あくまでも「事務的なミスの積み重ね」だと言い逃れし、辞任することなく首相の座に居座り続けている。

岸田氏は、「国民から政治不信を招いてしまっている。心からお詫び申し上げる」と口先だけで謝罪の言葉を繰り返す。こうした空疎（くうそ）な上っ面（うわつら）だけのセリフが、国民の怒りを鎮（しず）めるどころか、かえってかき立てると想像することすら、彼にはできないようだ。

自己保身を最優先する口先だけの大見得男。これがわが国、日本の首相である。

得意なのはパーティーだ。岸田首相は二〇二二年、七回もパーティーを開催し、二億円近くの「売上」を叩き出した。

情けない。実に情けない。

「保守仕草」で悪あがき

ところが、この岸田首相を、一部の自民党議員は絶賛する。岸田氏の腹心とされる木原誠二元官房副長官は、自民党大会での岸田氏の発言について、ＳＮＳサイトＸに次のように投稿した。

「岸田総裁、本当に気魄（きはく）そして想いが溢（あふ）れていました。

我が日本は、極東の小さな国といえども、四季折々の魅力ある風土、脈々と流れる歴史と伝統、勤勉な国民性、高い技術力、そして世界をリードする気概、世界から尊敬を集める存在です。私は、このかけがえのない日本を、次代に着実に引き継いでいきたい。

そのために、政治とカネの問題に毅然と取組むとともに、政策を遂行していきます。

そして、党是である憲法改正について、総裁任期中に実現するとの思いの下（もと）、今年は、条文案の具体化を進め、党派を超えた議論を加速してまいります。

また、安定的な皇位継承等への対応についても、皇族数確保のための具体的方策等を取りまとめ、国会における検討を進めてまいります」

気魄とか想いというそれらしい言葉で岸田演説の中身のなさを粉飾（ふんしょく）するばかりか、憲法改正や皇位継承という「保守仕草」で低迷する支持率を回復すべく悪あがきする。

「このかけがえのない日本を、次代に着実に引き継いでいきたい」と言いながら、日本の美しい山野（さんや）を太陽光パネルで埋め尽くして自然破壊し、ＬＧＢＴ法によって男女に分かれることで保たれてきた日本の社会秩序を破壊して女性の人権を侵害し、増税に次ぐ増税で日本国民を痛めつけ、さらにこれから向こう見ずな移民政策によって日本という国家を内側から徹底的に破壊しようとしているわけだから、偽善にも程がある。

自民党で情けないのは、総裁の岸田氏や派閥の幹部だけではない。

三月には、二〇二三年十一月十八日、和歌山市内のホテルで自民党青年局の開催した「多様性」パーティーに半裸の女性ダンサーが招かれ、出席者の上に座ったり、出席者が女性の尻を触ったり、口移しでチップをわたしたりしていたと報じられ、出席していた藤原崇青年局長と中曽根康隆青年局長代理が辞任した。両者とも衆院議員である。

中曽根康隆氏というのは、中曽根康弘元総理の孫の三世議員らしい。名家に生まれ、プリンス然としたシュッとした外見、完璧な学歴を備えた世襲議員の行き着く先がハレンチパーティーだというのだから、人間の業の深さを呪わずにはいられない。

二〇二三年八月には、自民党の参議院議員・松川るい氏が自民党女性局のフランス研修中に、エッフェル塔の前で「エッフェル・ポーズ」を決めて撮影した写真をSNS上に投稿して炎上し、女性局長を辞任している。同研修は少子化対策などをフランスに学ぶ趣旨だったとされているが、フランスが少子化対策に成功しているというのは過去の話であり、現在はフランスでも少子化が進み深刻な問題となっている。いったい、そのフランスに何を学びにいったのか。松川氏の研修中の「動き」も公開されていない。

なおかつ、このフランス研修に参加した自民党の参議院議員・広瀬めぐみ氏は二月、外国人男性と赤いベンツに乗って歌舞伎町のラブホテルに入り不倫をしていたと報じられ、当人もそれを認めたのに加え、公金で給与を賄う公設秘書が勤務実態のない「幽霊秘書」だという疑惑も報じられた。

この赤ベンツ不倫・広瀬めぐみ氏とハレンチパーティー・藤原崇氏が同じ岩手県選出の自民党議員だというのも、偶然にしてはよくできている。

誰かが立ち上がらなければ

自民党議員は、総裁も幹部も青年も女性も、みんな揃ってカネと欲にまみれている。誰一人、日本という国家のため、国益のため、国民のための政治などしていないのが実態だ。いや、なかにはきちんとした国家観を持つ自民党議員もいるのだろう。しかし国民のほとんどは、自民党に辟易している。

そもそも自民党議員は、政治とは何か、政治家の役割とは何か、政治家に求められる資質とは何かについて、考えたり学んだりしたことがあるのかどうかすら疑わしい。

前出のウェーバーは、政治、そして政治家について次のように述べている。

「政治というのは、硬い板に力強く、ゆっくりと穴をあけていく作業です。情熱と目測能力を同時にもちいながら掘るのです。この世界で何度でも、不可能なことに手を伸ばさなかったとしたら、人は可能なことすら成し遂げることはできなかった。（中略）自分が世界のために差し出そうとするものに対して、この世界があまりに愚かでゲスだとしても、それでも心が折れてしまうことなく、こうしたことすべてに対してすら『それでも』と言うことができる自信のある人だけが、政治への『使命』をもっているのです」

カネまみれ欲まみれの自民党にはうんざりである。しかし、誰かが「それでも」と声をあげ、立ち上がり、政治をし、日本という国と日本国民を導かなければ、日本は自民党政治に導かれるがまま弱体化し、気づいた時には日本は日本ではなくなっているだろう。

不可能なことに手を伸ばさなかったら、人は可能なことすら成し遂げることはできないのだ。

第二十六章　私は絶望した

PTSDに悩まされている

「おい飯山！　カメラ撮ってんじゃねーよ」

「質問に答えろよ飯山！」

　二〇二四年四月二十一日午前十時半過ぎ、江東区（こうとう）にある深川警察署前で、選挙用の街宣車から拡声器を使用し、私にこう暴言を吐いて挑発したのは「つばさの党」という団体の根本良輔なる人物だ。

　私は四月二十八日投開票の衆議院東京十五区補欠選挙に立候補していた。街宣車での選挙活動中、根本某の街宣車に追い回され、散々逃げた挙句、同署前に車をつけた。警察署の前ならば言動を慎（つつし）むだろうと想定してのことだ。しかし某はこう続けた。

「警察、なんも動いてくんないよ！　事故にならないように気をつけてねってことを電話でもらってるんで、おまえらが街宣やめた以上は、オレらしゃべる権利ある！」

「だから出てこいよ！　おまえ、目パキってんぞ。アハハハ！　憎くて仕方ないんだろ、オレのことが。目パキってんぞ飯山！　オレのことがムカつくなら、ぶつけてこいよ！　討論しようぜ！　東大の博士号とったんだろ！　イスラエルについて話そうぜ飯山！　出てこいって！　ほら出てこいよ！　何やってんだよ、意味ねえからそれ！　おい、東大の博士、出てこいよ！　出てこいよ、お前！」

某も同補選の立候補者である。だから自分には選挙活動の自由があり、こうした暴言もその範疇内だというのが某の主張だ。産経新聞の取材に対し、「どこで街宣しても合法だ」と自身の言動を正当化している。

某が選挙妨害を始めたのは、選挙告示日の四月十六日だ。私自身も二十一日以前から、すでに何度も極めて悪質な選挙妨害を受けてきた。街頭演説にマイクで音を被せる、街宣車を追いかけ回し私を罵倒する文句を拡声器でがなり立てる、私に接近して大声で侮辱し嘲笑する、選挙事務所前に乗り付けて扉をドンドン叩き「出てこい」と挑発する。この繰り返しだ。

四月十九日には、豊洲にてジャーナリストの長谷川幸洋氏を応援弁士としてお迎えし、街宣活動をする予定だったが、我々の街宣車の後ろに某の街宣車が乗り付け、とてつもない爆音を当方に被せ、長谷川氏らの声はほぼ完全にかき消された。私はそれ以来、頭痛、耳鳴り、不眠、フラッシュバック、動悸といった症状に悩まされている。

自由主義社会においても、あらゆる自由が許されるわけではない。他者に危害を与える自由は許容されないと考えるのが一般的だ。「殺人の自由」や「強盗の自由」「誹謗中傷の自由」といったものが認められないのはそれゆえである。しかし某は、選挙活動の自由のなかには、私の選挙活動を妨害する自由も、私の心身に危害を与える自由も、公然と私の名誉を毀損し尊厳を奪う自由も含まれていると認識しているらしい。

某は産経新聞に対し、妨害活動により「みんなに政治に参加してもらい、事実を知ってもらうという目的は達成できた」と主張している。とんだ偽善者である。

公開リンチ

二十一日の深川署前では私に対し、「おい飯山！　せっかくお前のこと推してくれてるジジイ、泣いちゃうぜ！　こんな二十九歳の若造一人も論破できない、中東の研究家、東大博士か知らんけど、イスラエルについて話そうぜ！」と、「若い弱者」ポジションをとって煽ってきた。

若さなど所詮、相対的なものだ。小中学生から見れば二十九歳は立派なジジイであるが、八十歳から見れば四十八歳の私も十分に若い。贅肉でだぶついた腹をかかえる中年太りの男である某が、小柄な女である私に対し拡声器を使用して大声で威圧しながら、オラつきつつ「若い弱者」ポジションでマウントをとるなど、笑止千万だ。

某はいわゆる「無敵の人」である。選挙活動の自由を掲げれば、どのような誹謗中傷、罵詈雑言、名誉毀損、威嚇行動も許されるし、警察も手出しはできないと公言して憚らない。実際、警察は、私が警察署前で壮絶なセクハラ、モラハラ、脅迫、選挙妨害を受けているにもかかわらず、私を守ってはくれなかった。これは公開リンチに等しい。私は絶望した。

「あれ飯山本人だよ、あのオバハン！　キチガイみたいな顔して！　終わってんだろアレ。ほら飯山！　飯山！　飯山本人、何やってんの！　出てこいって！　みんな見てるよ！　飯山本人だろ！　動画を撮ることしかできねえんだよ、こいつら！　面白すぎるよね、アハハハ！　これ、やばいぜ！　おいおいおい、飯山出てこいって！」

何が面白いのか、私には全くわからない。図体の大きな男に、拡声器を使って繰り返し名前を呼び捨てにされ、出てこい、出てこいと煽られる恐怖と闘いながら、証拠を押さえねばならないという一心で動画を撮り続けた。

「なんなのお前?!　マジでおまえ、東大の博士とったのか?!　小池と一緒で、経歴詐称疑惑か！　え、なにそれ、チューしたいの?!　え、なにそれお前、チューしたいの?!　責められて興奮するタチ？　もしかして?!」

　表情を変えず、挑発にも動じない私に痺れを切らした某は、私が経歴詐称をしていると中傷したうえ、煽り続けるうちに自分で勝手に興奮しだし、卑猥な言葉を口にする。

「飯山あかり！　いま、もう千七百人がライブで見てるぞ！　これ、切り抜いて絶対拡散されるぞ！　これ、飯山あかり本人だぞ！　飯山！　お前、イスラエルの犬じゃん。イスラエルの犬だよね！　イスラエル戦争屋国家だぞ！　そのお前、戦争屋国家を擁護しているお前、戦争屋の手先だぞ！　イスラエルとアメリカが、中東を火の海にしたんだぞ！　なんだ、オレともチューしたいのか?!　飯山！　なんだお前！　欲求不満か飯山！　四十八歳飯山あかり！　ヘイヘイヘイヘイ！　飯山あかりヘイヘイヘイヘイ！　オレとチューしたいのかヘイヘイヘイ飯山！　なんだよお前、欲求不満かよ！　チューするか飯山！　どうした飯山！　論戦しようぜ！　お前がイスラエルの擁護をしてるのはやめろって言ってんだよ！　イスラエルは戦争屋国家なの！　やっぱチューしたいのか！」

　これが某の「合法」な選挙活動らしい。

　拡声器を使って私を罵倒し、卑猥で淫らな言葉を浴びせかけ続けることの、どこが合法な選挙活動なのか。これでどうやって、「みんなに政治に参加してもらい、事実を知ってもらうという目的は達成できた」というのか。

日本を諦めてはならない

通りすがりの有権者は、某の罵声を聞くと足早にその場を立ち去る。なかには恐る恐る携帯を取り出し、写真や動画を撮っていく人もいる。誰もが顔を強張らせる。政治参加どころの話ではない。こんな現場を目の当たりにすれば、多くの人が選挙や政治そのものに対し、恐怖感や嫌悪感を抱く。政治というのはかかわってはならない、近づくと害にしかならないと思うようになる。そしてますます政治への関心を失い、投票率は下がる。

実際に、今回の東京十五区補選の投票率は四〇・七〇％に過ぎなかった。有権者の過半数が選挙に行かなかったのだ。哀れなことに、某にはこの現実も見えないらしい。

某はこうも言った。

「おい飯山！　ちょっと都合が悪いこと言われたら逃げるんだったら、お前、政治改革なんてできねーよ！　しかも、保守党なんて仰々しい名前つけやがって！　なんだよ保守党って！　保守党ってのは逃げること⁉」

保守の基本は「大切なものを守る」という信念だ。我々が守るべきは自由民主主義社会であり、その礎となる選挙である。他者の選挙活動の自由を侵害し、有権者の聞く権利、知る権利を侵害する某のような行動が選挙活動の自由の名の下に許容されるならば、日本の民主主義の存立は確実に脅かされる。

某は選挙妨害をビジネス化すると言っている。某にカネを払えば、対立候補の選挙活動を妨害し、選挙戦を有利に進められるというわけだ。なるほど、実に賢いと、某の「信者」たちは喝采を送る。

「誰一人取り残さないインクルーシブな社会を体現する人物」として乙武洋匡氏を同選挙で擁立した小池百合子都知事は、自分と乙武氏の街宣の警備は強化したものの、私を守ってはくれなかった。メディアが妨害の被害者として手厚く報じたのも乙武氏だった。

しかし選挙では、私の得票数は乙武氏のそれを大きく上回った。十九日の妨害現場では某の罵声に対し、小学生の男の子が「あかり、がんばれ！！」と高い声をあげた。正義はここにある。

日本を諦めてはならない。諦めたらそこで終わりだ。

本書は月刊『Hanada』二〇二二年六月号～二〇二四年六月号に掲載された連載
「偽善者に騙されるな」に加筆・修正したものである（年齢や肩書などは当時のまま）。

飯山 陽（いいやま・あかり）

1976年、東京生まれ。イスラム思想研究者。麗澤大学国際問題研究センター客員教授。上智大学文学部史学科卒。東京大学大学院人文社会系研究科アジア文化研究専攻イスラム学専門分野博士課程単位取得退学。博士（文学）。著書に『中東問題再考』『イスラム教再考』『ハマス・パレスチナ・イスラエル』（以上扶桑社新書）、『イスラム教の論理』（新潮新書）、『エジプトの空の下』（晶文社）など。XやYouTube「飯山あかりちゃんねる」、noteでイスラム世界の最新情報と情勢分析などを随時更新中。

「いい人（ひと）」の本性（ほんしょう）

Hanada新書 002

2024年8月10日　第1刷発行
2024年9月15日　第3刷発行

著　　者　飯山 陽
発 行 者　花田紀凱
発 行 所　株式会社 飛鳥新社
〒101-0003
東京都千代田区一ツ橋2-4-3 光文恒産ビル 2F
電話　03-3263-7770（営業）　03-3263-5726（編集）
https://www.asukashinsha.co.jp
装　　幀　ヒサトグラフィックス
印刷・製本　中央精版印刷株式会社

ISBN 978-4-86801-026-5

編集担当　沼尻裕兵